鱒虫釣人戯画

【ますむしつりびとぎが】

文＝佐藤成史

絵＝神谷利男

はじめに

「魚釣り」と一口にいっても、実はいろいろな楽しみ方がある。釣りという遊びは、釣れば釣るほど面白い、といわれることもあるが、そればかりだとすぐに飽きてしまう。釣りという行為は分かりやすく、本質的には単純作業の繰り返しである。釣りの技術の上達は、作業の精度を高めることにあるから、努力に対する代償や達成感を得やすいのである。しかし、魚釣りの本当の面白さは、釣りに飽きた頃からじわじわと盛り上がってくる。なぜなら心に余裕が生まれ、今まで見る機会がなかったり、釣りをやらなければ知りえない世界があることに気がつくからだ。

どんな釣りでも楽しいけれど、私は 40 年以上に渡って、フライフィッシング (毛ばり釣り) に没頭している。そしてフライフィッシングは自然界のあらゆる事象を親しむために絶好のバックグラウンドを持っている。まず、魚を釣るための毛ばりは、魚たちが普段食べている水生昆虫や陸生昆虫を模しているので、少なからず昆虫に関する知識が必要になる。昆虫に興味を持ち始めると、それがどんな時期に活動して、どんな生活を送っているのかといった習性を知ろうとする。その知識が釣果に直結するのだから、闇雲にサオを振り回すだけではダメだと悟る。ある種の昆虫が活発に動き回る頃には、どんな花が咲いていたとか、どんな生きものが水辺に出現していたのか等々、自然界と生きものたちのつながりが見えてくるわけである。

私の場合、釣りの腕を磨く以前に生きものたちの世界にどっぷり浸かってしまったが、釣りを存分に楽しんだ後からでも、自然の中での経験を積めば積むほど、生きとし生けるものたちの素晴らしさに深く強く触れることができる。そういう意味でも、フライフィッシングは自然と親しむために最高のツールだ。しかも一生楽しめるのだから、読者の皆さんにもぜひ興味を持っていただければと思っています。

本著は 2008 年 5 月 21 日から 2013 年 12 月 20 日の間、朝日新聞群馬版に 2 週間に 1 度のペースで掲載したコラム、「渓ごよみ」をもとに加筆・訂正したものです。新聞への連載終了後、しばらく宙に浮いた状態が続いていましたが、今回ご縁があって、ふらい人書房から出版する機会をいただきました。タイトルを「鱒虫釣人戯画」に変更し、新たな命を吹き込まれた気がしています。

さらに幸運なことに、神谷利男さんの情感豊かで生き生きとしたイラストを添えていただきました。どこから読み始めても印象に残る仕上がりになって、私自身、これまでにない感動を覚えています。

2020 年 6 月吉日

Seiji Sato
佐藤　成史

はる

なつ

あき

ふゆ

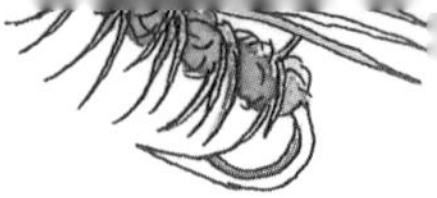

フライを巻くと季節が動き出す

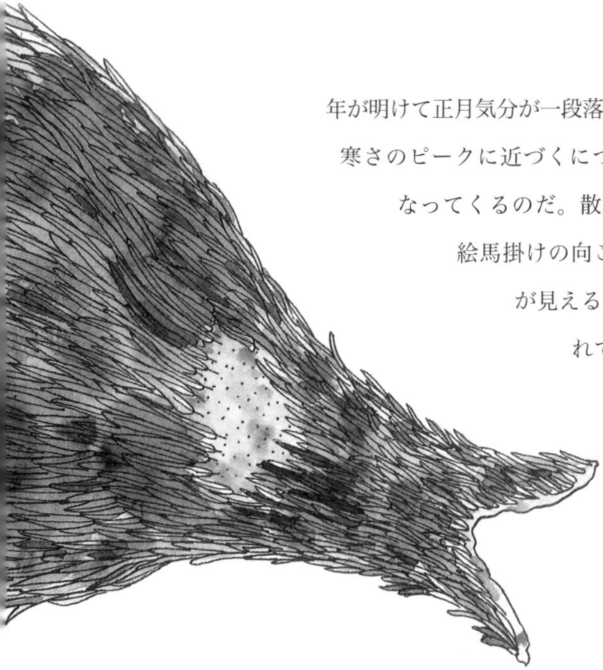

年が明けて正月気分が一段落すると、時間の流れが急に早くなる。寒さのピークに近づくにつれ、春を待ちわびる気持ちが強くなってくるのだ。散歩がてら近所の神社に立ち寄ると、絵馬掛けの向こうにぽつぽつと咲きだした梅の花が見える。開花間近の蕾は赤くパンパンに膨れて、今にも弾けそうだ。

２月１日は岐阜、福井、愛媛の各県では、一部の河川で渓流釣りが解禁日を迎える。群馬県内の渓流解禁は３月１日、そわそわしてくる気持ちは隠せない。気の早い仲間たちは辛抱できずに岐阜方面へ遠征したり、２月16日解禁の長野県へ出かける計画を入念に立て始める。

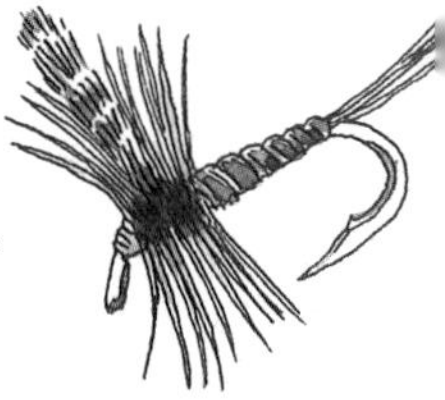

渓流の釣り人はこんなふうに、２月を前にする頃から徐々に釣りモードへ突入していく。そして先走る気持ちを抑えつつも、やはりじっとしていられない。そこで来るべきシーズンを準備万端で迎えるための行動を開始する。

私の場合、最初の行動はフライ・タイイング……つまり“フライ（毛鉤）”を巻くことである。渓流でヤマメやイワナたちを釣るため

For the coming season

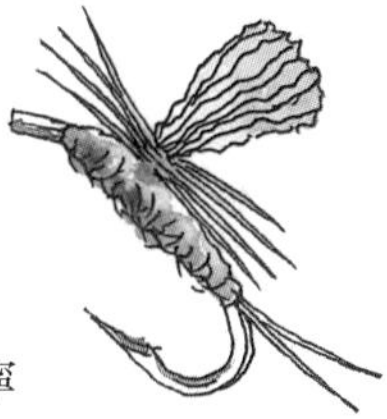

に使うフライは、水生・陸生の昆虫類をイメージしたものが基本だ。昆虫類の発生は季節によって異なり、渓魚たちの嗜好はそれによって決められる。今シーズン、訪れる予定の釣り場をイメージしながら、そこで繰り広げられる自然界の営みを思い描きながら、フライを一本一本丁寧に巻き上げるのだ。

フライ・タイイングは意外に長い時間が必要な作業だ。１本仕上げるのに要する時間は、簡単なもので２分〜３分、構造が複雑なものでは 30 分以上かかることもある。これらをサイズや色合いを数十本の単位で変えて、何十種類もストックしようと企てるのだ。タイイングの時間は、すなわちイメージ・フィッシングの時間でもある。もしかするとフライフィッシャーは、実際に釣りをしている時間より、脳内フィッシングに興じている時間のほうが長いのではないか。けれども自分にとって、これほど貴重な時間はない。幸福感を得られる脳内活動は、人生を楽しむために必要不可欠な作業である。

すっかり釣りに支配された頭の中に“病膏肓（やまいこうこう）に入る”という言葉が思い浮かぶ。すると「まんざら悪い病気でもないな……」と、心のどこかで声がする。

釣りバカは、死んでも治りそうにない。

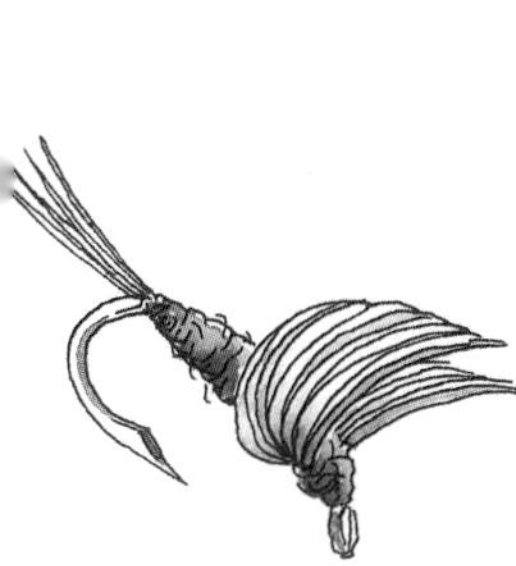

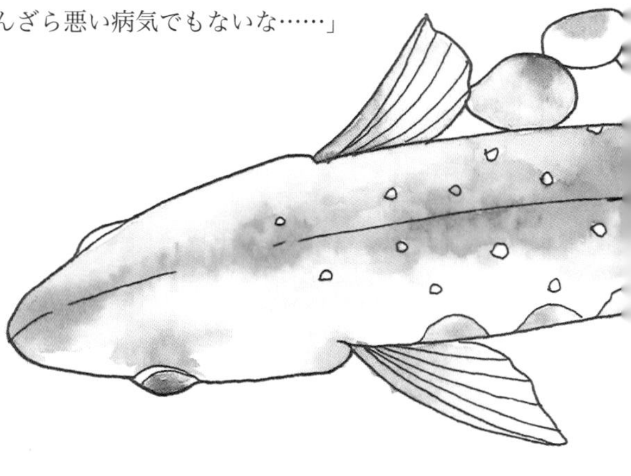

はる

Spring

渓流の自然を愛する人たちにとって、春は特別な季節だ。
啓蟄を境に水生昆虫が動き始めると、
水辺はにわかにざわめきたつ。
虫たちは春を謳歌し、渓魚たちに充分な栄養を与え、
やがて水へ帰り、いのちをつなぐ。
桜の花びらが水辺に打ち寄せ、山吹の花が水面を彩ると、
新緑の香りを乗せた風が、沢筋をそよそよと吹きぬけるのだ。

春の妖精

雪解け水を集めた奔流が、谷間を駆け下る早春の渓。

芽吹きを待つ渓畔林に柔らかな日差しが降り注ぎ、落陽で敷きつめられた林床をあたためると、そこは春を告げる草花たちの檜舞台となる。カタクリ、アズマイチゲ、エゾエンゴサク、ショウジョウバカマ、ニリンソウなどが、林の樹木が芽吹く前にその生命を燃やそうと、可憐な姿を私たちに見せてくれるのだ。

これらの植物はスプリング・エフェメラル（春植物、春のはかないもの）と呼ばれ、春のほんの短い期間だけ、地上に姿を現す。葉が生い茂ると、林床に充分な光が届かなくなってしまうため、初夏以降は地面の下に姿を隠す。種子や球根のまま地中で眠り続け、翌年の春まで姿を現わさないのだ。

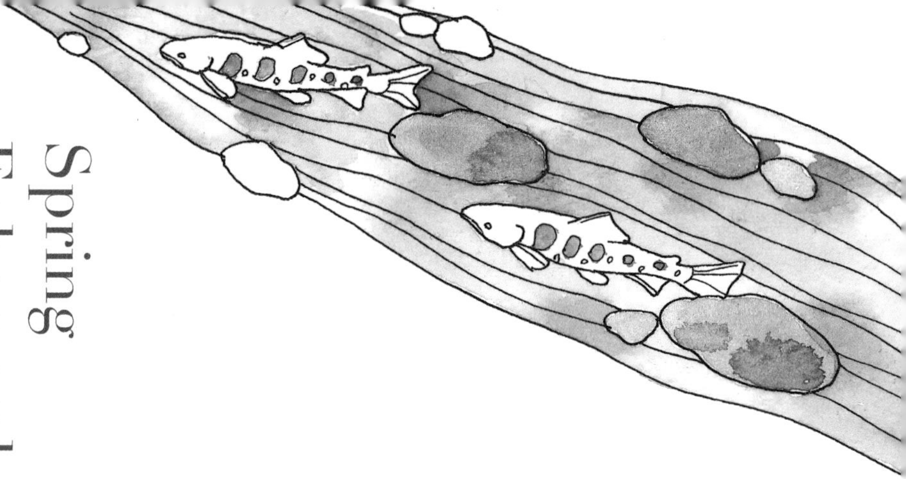

Spring Ephemeral

春の渓は、短い時間に精一杯輝くスプリングエフェメラルと出合う楽しみもある。渓流釣りという本来の目的を忘れ、日だまりに群生する植物たちの撮影に没頭することも珍しくない。生来の釣りバカも年齢を重ねるにつれ、興味の対象転換期に入ったのか。

山里ではサクラの季節だ。満開の花で周囲の風景を一変させ、万人の心を鷲掴みにして離さない。国民行事のお花見もまた、にぎやかで楽しい。けれども、それ以上に心打たれるのは、小さくとも精いっぱいに花を咲かせ、限られた時間を健気に生きるスプリングエフェメラルの生きざまである。

先日、上野村の神流川へ渓流釣りに出かける途中、南牧村六車のカタクリ群生地に立ち寄った。「カタクリこみち祭り」というささやかな催事の開催中で来訪者も多く、まさかの道路渋滞が起こるほどだったが、カタクリはまさに見頃を迎えていた。急な斜面の群生地で花を観賞していると、地元の小学生が元気よく駆け寄り「こんにちはー！」と大きな声でごあいさつ。そして見物客に村のパンフレットを配ると、丁寧にカタクリの花の説明をしてくれた。自然資産の価値や大切さを学ぶことは、地域の将来に大きな夢を託すことにつながる。急斜面の通路に、足元のおぼつかないお年寄りの手を取るなど、子供たちは大活躍していた。

微笑ましい光景に気持ちがなごむ。来春もまた訪れてみようと思った。

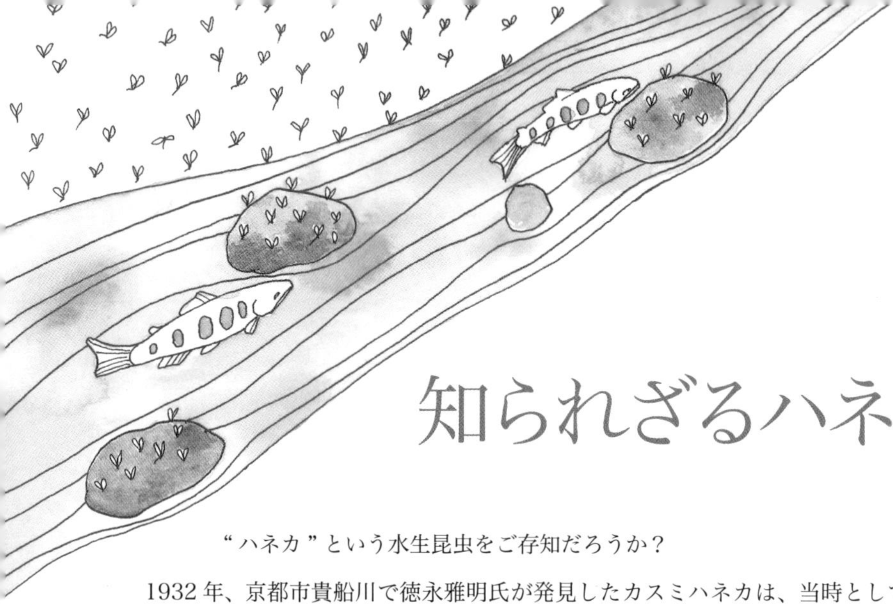

知られざるハネカ

“ハネカ”という水生昆虫をご存知だろうか？

1932年、京都市貴船川で徳永雅明氏が発見したカスミハネカは、当時としては世界的な大発見との評価を受けたという。その後、世界中で８種が発見されたが、貴船川ではハネカの生息数が激減。現在、カスミハネカは京都府レッドデータカテゴリーの絶滅寸前種に指定されている。

ハネカが属す双翅目《そうしもく》は膨大な種を含む分類群で、ハエ、カ、アブ、ブユ等々、世界中に約９万種が分布している。その中でハネカの仲間はたった７種しかいない。それだけでも、この昆虫の希少性や特異性を想像できるだろう。

2007年３月、群馬県上野村の神流川上流で渓流釣りを楽しんでいるとき、奇妙なカタチをした昆虫の凄まじい大群飛に遭遇した。最初はふわふわと、蚊柱というほどでもない虫の集団が頭上に現われては消えていた。集団は次第に密度を増し、ほんの数分で谷間全体を覆い隠す大乱舞となった。それは他の昆虫では見たことのない超高密度の群飛である。河原一面が虫の絨毯と化し、衣服やロッドも虫まみれ。マスクを着用していないと吸い込んでしまう。前代未聞の大発生だったのである。

それが初めて体験したハネカとの出会いだった。ハネカは１頭の大きさが3mmにも満たない極小の昆虫である。そのときの模様をすべて撮影して自分のブログに掲載したところ、いくつかの大学の研究者から問い合わせを受けた。ハネカという名称も、実はその時点で初めて知ったのである。

それから撮影やサンプリングのお手伝いを続けて、ようやくハネカという水生昆虫の概要が見えてきた。そして驚くべきことに、神流川には２種のハネカが棲息する事実が突き止められたのである。2009年の10月、三重大学で行なわれた『日本昆虫学会 第69回大会』で双翅目昆虫学の権威、九州大学名誉教授三枝豊平氏によって『日本列島のハネカ科の概観』というテーマで発表された。また、研究の詳細については、北米の双翅目専門webマガジン『Fly Times』に "Insect Mist- swarming of Nymphomyia species in Japan" という記事で紹介されている。そして2015年、ロシアのウラジオストク科学アカデミー極東支部のマカルチェンコ博士 (Dr.Eugenyi Makarchenko) によって、２種のうち１種が新種と同定され、Nymphomyia kannasatoi sp.n という学名が授けられた。世界で９種類目のハネカに標準和名を与えるとすれば、「カンナハネカ」が適当だろう。

ハネカの大群飛に遭遇するのは、穏やかな早春の夕暮れである。尾根に夕日が隠れる寸前、巨大な群れが出現する。ところが視界が霞むほどの膨大な発生量なのに、羽音がまったくしない。翅に密集した繊毛が飛翔音を消すのだろうか。目に映る風景が、突然入れ替えられたような錯覚に陥る。

ハネカの分布や生活史、食性、繁殖行動、移動、分散等に関する詳細な研究はいまだ行われていない。今後、ハネカの貴重な生息地である上野村の神流川上流部が、世界の研究者から注目を集めることだろう。

詳細についてはこちらから↓
http://riverwalkers.jugem.jp/?eid=1363

ヤマアカガエル

　早春の渓流を歩いていると、澄んだ音色のカエルの鳴き声が聞こえてくることがある。

　それはけっして大きな音ではなく、耳ざわりでもない。むしろ風に乗って運ばれてくる小鳥のさえずりや、小さな昆虫の奏でるやさしい音色のように、ささやかな幸福を感じる音域である。生命感に乏しい冬枯れの森に囲まれた水辺で、いったい何がざわめいているのか不思議でならなかった。けれども音の方向へ近づくと、それはピタリとやんでしまう。一度止まると、かなり長い時間待ってもざわめきが戻ることはない。結局正体をつかめないまま、何年かの時が過ぎていた。

　ある年の４月、福島県の渓流を訪れたとき、ようやくその正体をつき止めた。

　渓へと向かう森の中のトレールの周囲には、雪解け水が残した水たまりがいくつもあった。ふと耳を澄ませば、森の中があの音色で満たされている。水たまりに近寄ると、どうやら小さなカエルたちの交尾が行なわれているようだった。カエルたちは足音に気づくとすぐに鳴くのをやめて、落ち葉の陰に隠れてしまう。ところがこのときは興奮の最高潮にあったのか２、３分もすると再び鳴きはじめ、水たまりの周辺はいつになく賑やかだったのである。天気が良いとはいえ気温は 10℃、

Rana ornativentris

水温はおそらく5℃を切っている。そんな条件の中にこれだけたくさんのカエルがいるのは、今までに見たことのない光景だった。ざわめく妖精たちの正体は、ヤマアカガエルたちが繰り広げる愛の儀式だったのだ。

ヤマアカガエルは北海道をのぞく国内各地に生息する日本固有種だ。主に山間地の森林内に棲んでいるが、通常の生息場所と産卵場所が離れているため、卵やオタマジャクシをその種と確認するのは難しい。

平野部に近いところでは2月中旬ごろから活動を始める。群馬県内にも広く生息しており、赤城山南麓桐生市の新里付近では、3月早々に産卵を観察できる。標高の高い県北の嬬恋村などでは、5月に入ってから産卵する地域もある。

ヤマアカガエルは早春の渓流釣りを素敵なBGMで楽しませてくれる。その姿を目撃したり、鳴き声を聞くことができるのは繁殖期のわずかな期間だけだ。すぐ近くにいるのに、なかなかその姿を目視できない存在だが、心地良い鳴き声で春の訪れを知らせてくれる貴重な生きものなのである。

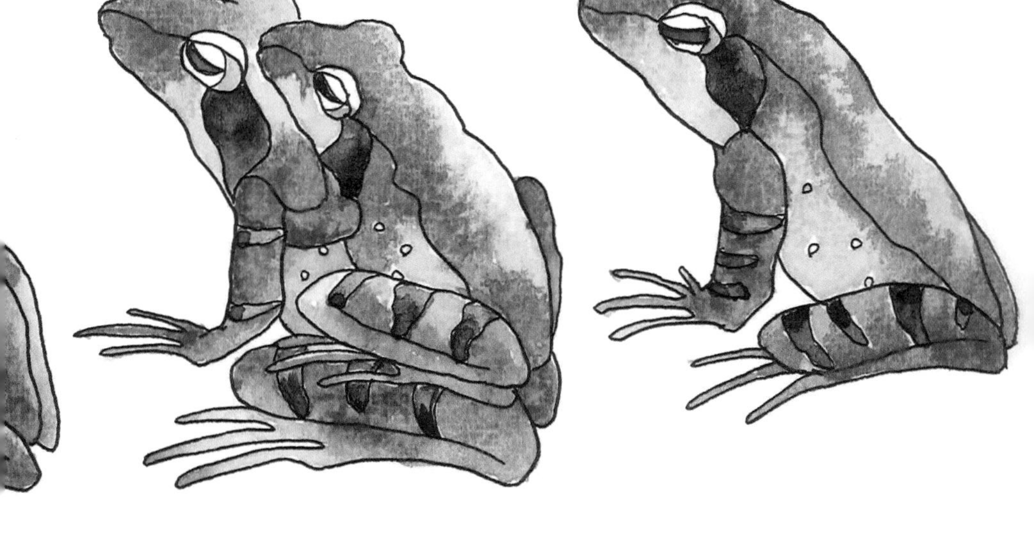

釣りのジンクス

釣りにはどうしても避けられない現象やジンクスがついて回る。

渓流釣りを覚えた頃から、帰り際に決まって転倒するという現象に取り憑かれていた。あと少しで川から上がれる……というときに限って、なんでもない浅瀬や緩い流れで転倒してズブ濡れになるのである。それは決まって夕方だったから、帰りのバスや電車の時間が迫っている。ずぶ濡れ状態で電車に飛び乗り、気まずい思いをしたものだ。また、転倒時にひざを強打して動けなくなり、ようやくたどりついた無人の駅舎で、ひとり夜を過ごしたせつない経験もある。帰り際の転倒癖の呪縛から完全に逃れるまで、10年以上もの時間を要した。身体が川歩きに慣れていなかったこともあるが、本当に悲惨な思いを何度もした。転倒癖克服以降、転倒に伴う深刻な事故に遭わないのは、起こりうる転倒パターンを身体が記憶し、無意識に危険回避しているからなのかもしれない。

釣り人ならではのジンクスはたくさんある。例えば「カメラを忘れたときに限って大きな魚が釣れる……」というもの。でもそれをジンクスとするなら、いつもカメラを忘れたほうがいいかなと思う。そのかわり体裁の良い言い訳はしないほうがよい。

また、同行する相手によって、さまざまなジンクスが生じることがある。いつもお互いに良い結果が出せる相手もいれば、どちらか一人が幸運をひとり占めしてばかり……ということもある。一緒になると必ず雨に降られたり、次々に奇妙な現象と出合ったり等々、人間同士の相性がもたらす出来事は予想がつかない。そして時々、やけに相性がよく、幸運を呼ぶ釣り具に出合うことがある。新調したロッドでいきなり釣れた魚が尺ヤマメだったら、そのロッドには神が宿っていると感じるだろう。40cm以上のイワナを1日に5本も釣り上げたフライなら、神棚に祀りたいと思うだろう。

また、満足のいく釣りができたときに着用していたウェアや帽子も、特別な意味を持つことがある。釣りへ行くと

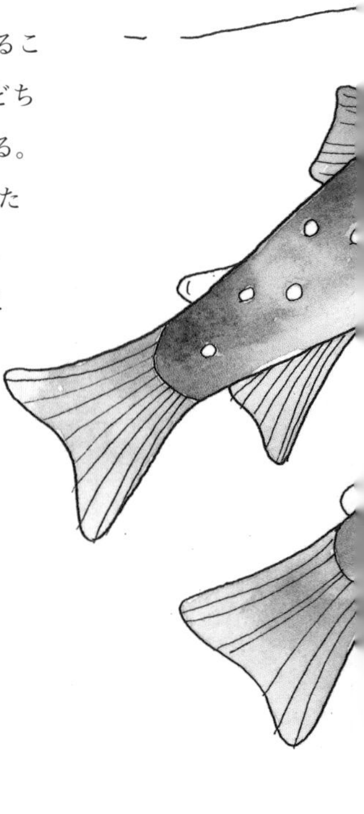

きには赤いシャツしか着ない友人がいるし、黄色い帽子しかかぶらない友人もいる。心のよりどころは人それぞれだ。

　科学的根拠の有無に関係なく、経験が培ってきたものは無下にできない。ジンクスにこだわり過ぎるのは禁物だが、切り捨てるのも得策とはいえない。うまく使って運を引き寄せることができれば、強い味方になってくれることは確かなのだから。

Jinx

フライフィッシングの楽しみ

「どうやったら釣りが上手くなるでしょう？」

　取材やスクール、講演などの仕事で地方へ出向いたときや、釣り場で出会った人たちから、そんな質問を受けることがよくある。

　ところが私の場合、自分の腕前の未熟さにいつもうんざりしているくらいだから、返答に困ってしまう。

　それなのに、釣りスクールの講師役なんぞ引き受けるのは、受講される方に失礼かもしれない。だから質問にはいつもこう答えている。

「釣りの楽しみ方なら、お教えできるかもしれませんよ」

　私の専門はフライフィッシングだが、この釣りの絶対的ルールは、本物のエサを使わずに、“毛鉤(フライ)”を使うことにある。

　フライは釣ろうとする魚の食性に応じて様々なパターンがあって、そのバリエーションは無限に近い。しかし渓流で使われるフライは、渓魚たちが実際に食べている水生昆虫等をモデルにしたタイプが主流である。

　そしてフライを巻く作業は“フライタイイング(Fly tying)”と呼ばれる。種類によって異なる虫たちの特徴を表現するために、様々な材料と専用のツールを使って、自分自身でひとつひとつ巻き上げるのである。

　それだけでも充分にマニアックだが、モデルとなる昆虫類の生態や習性を学んだり、現場で実際に観察したりといったフィールドワークが欠かせない。勉強と同じく暗記だけではダメで、応用力が問われるのである。その結果、次第に釣りとは別の角度から、自然環境や生態系について思いを巡らせるようになる。

　それでもなお、釣技を切磋琢磨《せっさたくま》しようとする人も多いが、水生昆虫の観察や自然科学の世界へ入って行こうとする人、あるいは釣り旅や写真に凝る人たち等々、楽しみ方の選択肢は無限に広がる。

　自分自身を振り返っても、フライフィッシングを通じて様々な世界の扉を叩き、そして開いてきた。私たちの好奇心が釣りという遊びをさらに充実したものにしてくれるのだ。

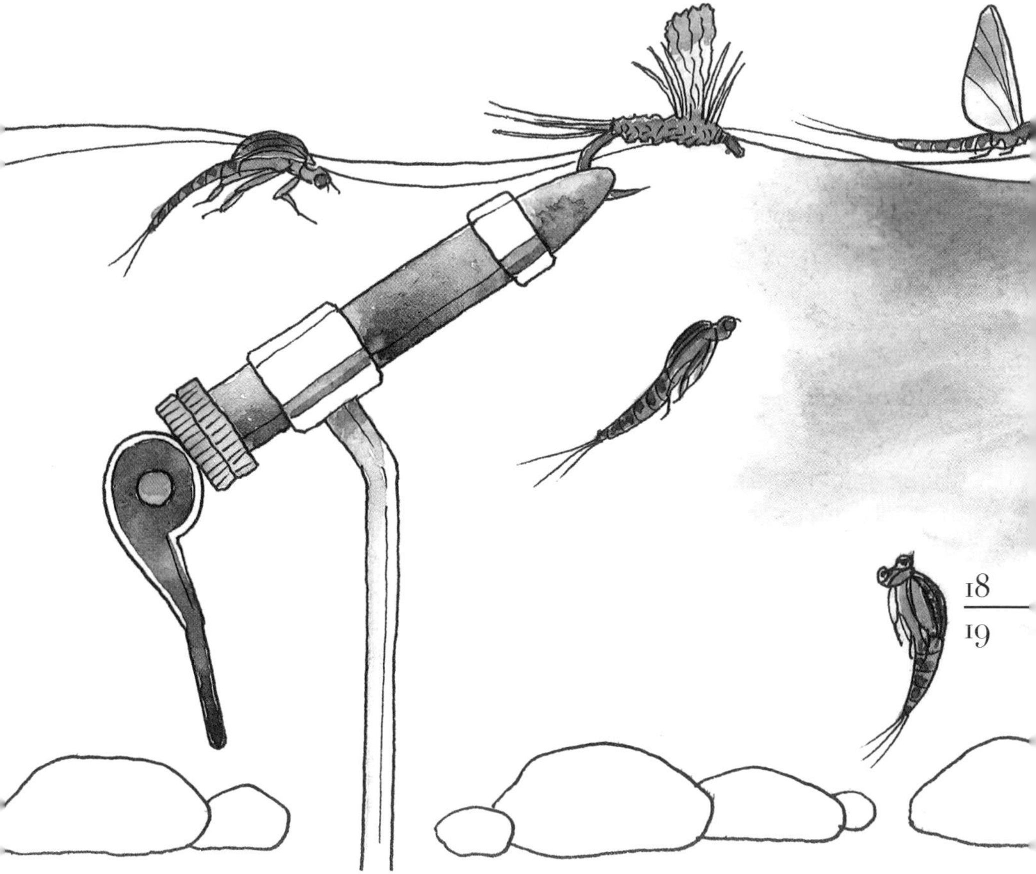

皆さんも釣りを嗜《たしな》もうとするとき、釣果以外にどれだけ楽しめるかというスタンスで向き合ってみてはいかがだろう。そうすることで、釣果という現実的な報酬よりも、自分にとってずっと大切な宝物を見つけることができるに違いない。

Joy of the fly fishing

ウグイは鵜食い

群馬県内の山里に生まれ育ち、川を遊び場にしてきた人たちにとって、「ウグイ」はとてもなじみ深い魚だ。ウグイという呼び名は標準和名だが、前橋市付近では“クキ”と呼んでいた。東京を中心とした南関東周辺では“ハヤ”、栃木県や茨城県では“アイソ”。方言の多さは分布域の広さを表わす。ウグイは沖縄地方以外の日本全国に分布するだけでなく、河川の河口付近から上流まで棲息できる。また、猪苗代湖や田沢湖のように、強い酸性の水質にも対応可能だ。水温や水質への適応力が抜群なのである。人間との関わりも深く、地域によっては大切な食料にもなっている。以前、熊本県五木村の川辺川上流を訪れたとき、このあたりで一番のご馳走として食卓に並べられた料理はウグイの活き作りだった。自然由来の川魚の生食は寄生虫等の心配があるためあまりお勧めできないが、地域の特色に見合った食べ方にはそれなりの理由がある。川辺川の清流ならば、衛生面において何の問題もないのだろう。

群馬県内を流れる多くの河川で、ウグイは優占種である。私自身、魚釣りの原点を問われれば、少年時代に親しんだ利根川のウグイ釣りと答えるだろう。渓流釣りではウグイを外道として忌み嫌うが、私はウグイが釣れてもそんなに悪い気がしない。少年時代からの友達感覚はそう簡単に失われるものではなく、むしろ故郷を共有してきた生きものに対する愛着を感じるからである。

ところがそんなウグイたちも、近年は減少の傾向にある。その原因のひとつには、全

国で異常な増殖を続けるカワウの影響が大きい。ウグイの語源は「鵜食い」という説がある。もちろん鵜を食う魚ではなく、その逆で鵜に喰われる魚という意味である。カワウはまさにウグイの天敵なのである。また、ダムや堰堤の影響で土砂の流出が制限されるために川床が下がり、岩盤がむき出しになる川が増えている。ウグイの産卵に適当な小石や砂利は流される一方で供給が追い付かない。その結果、産卵場所が減ってしまうのだ。さらに野生のウグイは東日本大震災の原発事故以来、群馬県内の多くの地点で放射性物質の影響を強く受けている。これまでの報告から、放射能汚染は日常的に摂取しているエサに起因していることが分かってきた。養魚場で飼育された魚は安全だが、自然界に食物を依存する野生魚は、想定外のリスクにさらされている。

今も昔もこれからも、ウグイは釣り人や子供たちのよき遊び相手であって欲しい。そしていつまでも利根川に群れ遊んでいて欲しい。

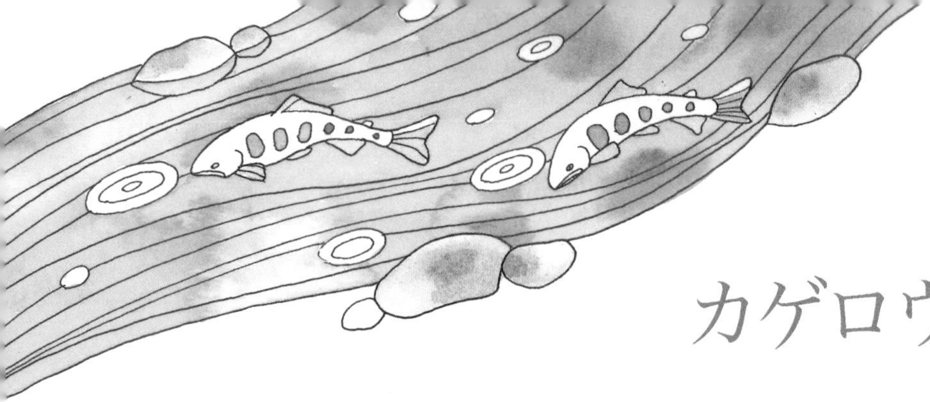

カゲロウ

春から初夏にかけて、カゲロウの仲間が羽化のピークを迎え、川や水辺の上空付近に乱舞する姿をよく見かける。
カゲロウにはたくさんの種類があり、その分類や習性についてはいまだに不明な点が多い。

カゲロウ目の学名は“Ephemeroptera”と呼ばれている。英語の“ephemeral”という単語には「儚い、短命の」という意味があり、いずれもギリシャ語でカゲロウを指す”ephemera“という言葉に由来している。平安時代、藤原道綱母が綴った『蜻蛉日記』にも「なほものはかなきを思へば、あるかなきかの心ちするかげろふの日記といふべし」という一節がある。

フライフィッシングを嗜む者たちにとって、カゲロウは特別な昆虫だ。なぜならカゲロウは、渓流魚（ヤマメやイワナ）の大好物であり、フライ（毛ばり）の多くは、カゲロウの幼虫や亜成虫、成虫がモデルになっているからである。カゲロウは蛹《さなぎ》の時期を持たない不完全変態を行う水生昆虫で、幼虫から亜成虫へ脱皮した後、さらにもう一度陸上で脱皮して成虫となり、産卵行動に参加する。

また、小さな昆虫類の多くは、短期間に大量発生することで、外敵からの捕食被害を最小限に防ぐ戦略を取る。カゲロウの仲間も同様で、春から初夏の日本の渓流では、様々な種類のカゲロウが次々に集中的な大量羽化を試みる。

10年ほど前、倉渕村（現高崎市）の烏川で、モンカゲロウという大型カゲロウの大量発生に遭遇した。5月中旬の夕方、頭上でざわつく異様な気配に空を見上げると、モンカゲロウの大群が川筋をトレースする帯のように上空を埋め尽くしている。大飛翔の帯は途切れることなく、視界の及ぶ下流から上流まで延々と続いていた。乱舞とか、群れ飛ぶとか、そんな次元ではない。想像を絶する驚異的な発生量に唖然としながら、いつ終わるとも知れぬモンカゲロウの天空劇場に見入っていた。儚きものの代名詞でもあるカゲロウだが、

Ephemeroptera

生命をつなぐために発揮される無限のパワーに心底感動した。

平安の雅人たちは、はたしてカゲロウのそんな習性を知っていたのだろうか？

私たちの日常生活圏ではあまり目立たないカゲロウの仲間だが、自然界においては、水中と陸上という異質な生態系をつなぐ大きな役割を担っているのかもしれない。

嬬恋ヤマメ

３月も中旬だというのに、突然降りだした雪はまたたく間に猛吹雪となって、あっという間に周囲を銀世界に変えてしまった。

その日は、嬬恋村の田代小学校６年生が育てたヤマメを、近くの小川へ放流する予定だった。田代小学校では、村内で養魚場を営む戸部潔さん指導のもと、ヤマメを飼育するのが恒例になっている。ヤマメの発眼卵から稚魚に成長するまでのおよそ半年間、子供たちが日記を綴りながら愛情込めて飼育するのである。そして水がぬるむ３月、育てたヤマメたちを川へ放つのだ。ヤマメとのお別れ会ともいえるその日が、まさかこんな大雪になるとは予想していなかったが、私もお手伝い役として同行させていただいた。

高原キャベツの一大生産地として全国的に有名な嬬恋村だが、村内にはたくさんの渓流が流れ、そこには昔からたくさんのヤマメやイワナが棲んでいる。そして国内で最初にヤマメの完全養殖に成功したのは、前記の戸部潔さんの経営する鱒谷養魚場だった。つまり嬬恋村は、日本のヤマメ養殖発祥の地なのである。そんな背景があって、村の魚として“ヤマメ”が指定されている。

２時間ほどで雪は降り止み、放流を予定していた川へ向かった。標高 1500 m付近を流れる小川は雪に埋もれ、岸辺に子供たちが安全に近寄れる足場を確保するだけでもたいへんだった。

ビニール袋に分け入れたヤマメを子供たちに渡して水辺に降りると、そこには凍りつ

くような冷たい流れがあった。水槽の中でぬくぬくと育てられたヤマメたちには試練だったかもしれない。しかしそんな心配をよそに、放たれたヤマメたちは少しも躊躇することなく、元気に泳ぎ去って行った。子供たちもまた、この日が来ることを覚悟していたのだろう。笑顔を絶やすことなく、ヤマメたちの姿を見送っていた。

放たれたヤマメたちは、地元吾妻川水系出身の親魚をルーツに持つ、まさに嬬恋ヤマメだ。本来の住まいに戻って、元気に育ってくれることだろう。

願わくば、今後も定期的に成長の様子を観察できるような環境があればいいと思った。子供たちの放ったヤマメが立派に成長して、自然産卵する現場に立ち会うことができれば理想的である。生命の循環を実感する大切さは、飼育や釣りなどよりもはるかに大きな感動を与えてくれる。

しかし現実はなかなか厳しい。子供たちの手によって放流されたヤマメたちも、秋までには釣り切られてほとんどいなくなる。魚資源の磨耗を防ぐ対策も、これからは必要不可欠になっていくだろう。

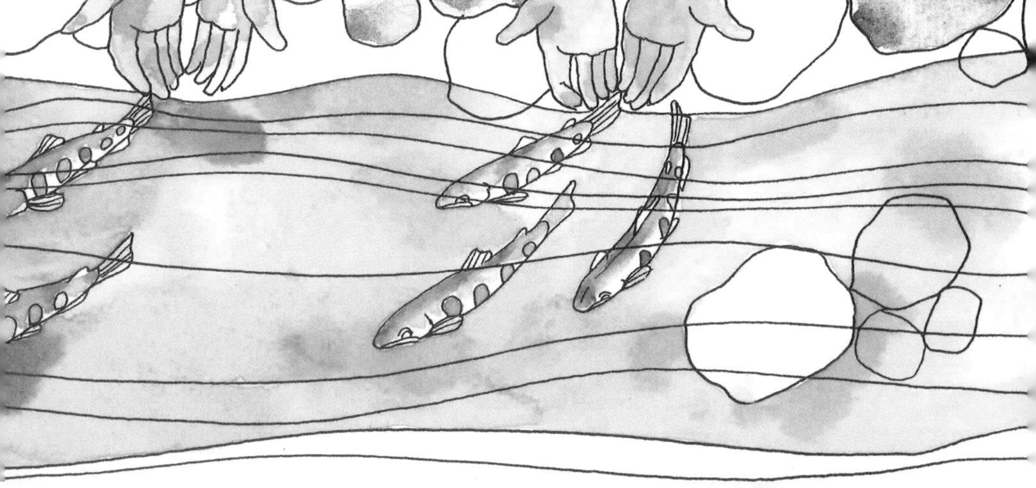

宿主はキタキツネ

　初めて野生のキツネを目にしたのは小学生の頃だった。

　それは家族で嬬恋村の四阿山麓へ山菜採りに出かけたときのこと。何かの拍子に一人はぐれて山中をさまよっているうち、丘陵地に広がる草原に出た。あたりを見回すと、傍《かたわ》らの丘の上から、金色に輝く動物が鋭い眼差しでこちらをうかがっていることに気付いた。細く引き締まった胴体、ふさふさとした巨大な尻尾をピンと跳ね上げた姿は神々しくて、実際よりもずっと大きな生きものに見えた。襲われるかもしれない恐怖と、もっと見ていたいという願望との狭間で、10才の少年は身じろぎもせず立ち尽くすだけだった。

　どれくらい時間が経ったのか……自分の名を呼ぶ声に振り返ると、遠くの尾根から兄が駆け降りて来るのが見えた。すぐに視線を元に戻したが、金色の動物は姿を消していた。それがキツネ（ホンドギツネ）ということは理解できた。そのとき以来、キツネは自分にとって特別な存在だった。

　日本全国に棲息するキツネの仲間は人間社会との接点も多く、古くから人々と深い関係を築いてきた。稲を守る神として信仰の対象になったり（稲荷神）、ときには人を陥れる魔性の存在として畏れられることもあった。

北海道にはキタキツネが棲んでいる。道内を旅していると、人馴れしたキタキツネが頻繁に姿を見せる。道路に出て来て人目を引き、エサを乞う様子を見ていると、かつて抱いた神秘性が薄らいでしまう。キタキツネは1990年代に疥癬（かいせん）の流行で生息数が激減したが、最近になって急激に数を増やしている。それに伴い、道内の自治体に寄せられる駆除依頼件数も増加の一途だという。キタキツネはエキノコックスという寄生虫の最終宿主で、感染率は40%前後と高い。エキノコックスの卵はキタキツネの糞便に含まれるだけでなく、体毛に付着していることがある。何らかの理由で卵が人体に入ると、体内で孵化して幼虫になり、主に肝臓に寄生して成長する。長い潜伏期間の後、肝障害等のエキノコックス症を発生し、最悪の場合は死に至る。感染経路は様々だが、住宅地に頻出するキタキツネは駆除を免れないのが現実だ。さらに青函トンネルの開通以来、青森県でもキタキツネが目撃されるようになった。トンネル内を通過する様子が監視カメラでも確認されている。それに伴い、ホンドギツネとの交雑やエキノコックスの南下と蔓延が懸念されている。

野生動物に平然と食物を与える人間、それに依存しようと知恵を働かせる動物たち。不自然な関係の背後に潜む寄生虫の脅威。キツネたちの動向を知れば知るほど、野生動物とのつき合い方の難しさを痛感するのであった。

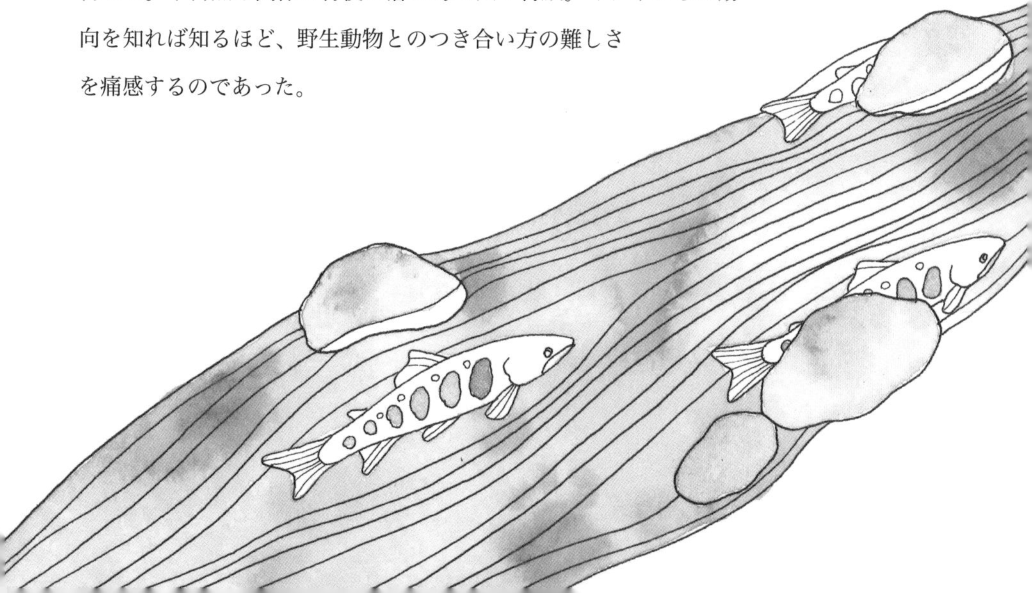

花の季節

新緑はいつも凄まじい勢いで、山全体を緑の絨毯で埋め尽くす。山裾を駆け上がる緑のうねりは、ほんの数日で山の表情を変えてしまう。

新緑のパワーは暴走気味に突き抜けるが、沢筋を彩る野生の花たちは、それよりは落ち着きをもって私たちに付きあってくれる。花の見頃は地域や標高によって変わるので、旬を何度も楽しめるし、人里では見られない希少な草花に出会える機会も多い。

釣行したときの記憶は、それぞれの季節を象徴する草花の印象と重なる。岩手県で過ごした学生時代、遠野市を流れる猿ケ石川へヤマメ釣りによく出かけた。それはちょうど５月の連休頃、川沿いのサクラ並木から舞い散る花吹雪で水面が覆われ、釣りができなくなることがあった。それはそれで困ったものなのだが、一期一会の花筏を見物するのが嬉しくて、五月の釣行を心待ちにしていた。

ヤマブキの黄色も、春の渓流には欠かせない情緒である。コンディションの良いヤマメの胸鰭はまさにヤマブキ・イエロー。金色がかった美

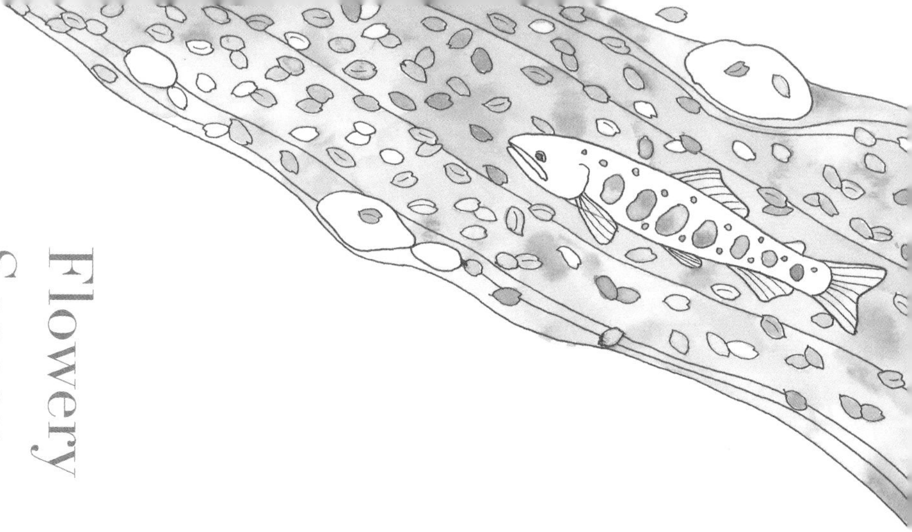

Flowery Season

しい色調にうっとりする。

フジの花が咲く頃は多くの地方で渓流釣りの最盛期を迎える。なぜなら水生昆虫の活動ピークと合致して、渓魚たちの捕食行動が最も積極的になるからである。しかしあまりにエサの流下が多くなると、捕食のトリガーが制御できなくなるのかよく失敗をする。フジの花びらを誤食するヤマメを見るシーンがとても多いのである。だからといって、それに似せた毛鉤が効果を期待できるわけではないが、他の花の時期とは少し違った反応をするのは確かである。同様に、サクラやヤマブキの花びら、誤食される機会が少なくない。

ある年の連休中、群馬県吾妻地方の高原を流れる渓へ出かけた。ちょうどシャクナゲの花の咲き始めで、淡いピンクが疎林の中で際立つ美しさを誇示していた。私たちにとってシャクナゲの花は、深山のイワナ釣り開幕の合図のようなもの。そのときは雪代が長引いて調子が悪かったが、花の盛りの頃になれば、イワナたちも元気一杯に活動していることだろう。

花は季節を映す鏡のようなもの。花を見ていれば、その背後にある自然の様子が浮かび上がってくる。生命の尊さや儚さを教えてくれる花と渓魚たちと、これからも同じ季節を共有しながら、野生の花を愛でていきたいと心から願っている。

パーマーク

ヤマメの体側に整然と並んだ小判型の斑紋……これは“パーマーク”と呼ばれ、ヤマメのトレードマークになっている。けれどもパーマークはヤマメだけの特徴ではなく、実はサケ科魚類の幼魚に共通した紋様なのである（カラフトマスを除く）。国内で最もなじみ深いシロサケの稚魚もパーマークを持つし、ニジマスやイワナの稚魚にも同じように明瞭なパーマークが現われる。ところがヤマメ以外の魚は成長の過程でパーマークが消えてしまう。海に降りるサケたちは、海へ向かうスイッチが入ると、銀色に変身する（スモルト化）。ニジマスやイワナは成長とともに独自の紋様を得て、成魚になる頃にパーマークは消失する。ヤマメの降海型であるサクラマスもそれは同じで、海洋生活への準備段階でパーマークを完全に消し去り銀色の化粧をする。

親戚や親兄弟たちまでもがそうした変化を遂げるなか、渓流で生活するヤマメたちのパーマークが消えないのはなぜだろう？成魚になっても、明瞭なパーマークを体側に残すのはなぜなのだろう？

小さな渓流に棲むヤマメほど、大きさに関わらずくっきりと明瞭なパーマークを持つ。そして体色も全体的に濃く、体側が赤みを帯びる個体が多い。その逆に、川幅が広い中・下流域に棲むヤマメたちはグレーやシルバーの体色を持ち、光の角度でパーマークが見えたり見えなかったり、ぼんやりとした印象を受ける。

狭い渓流部では棲息に良好な環境が限定されるから、その場所を得るために熾烈なな

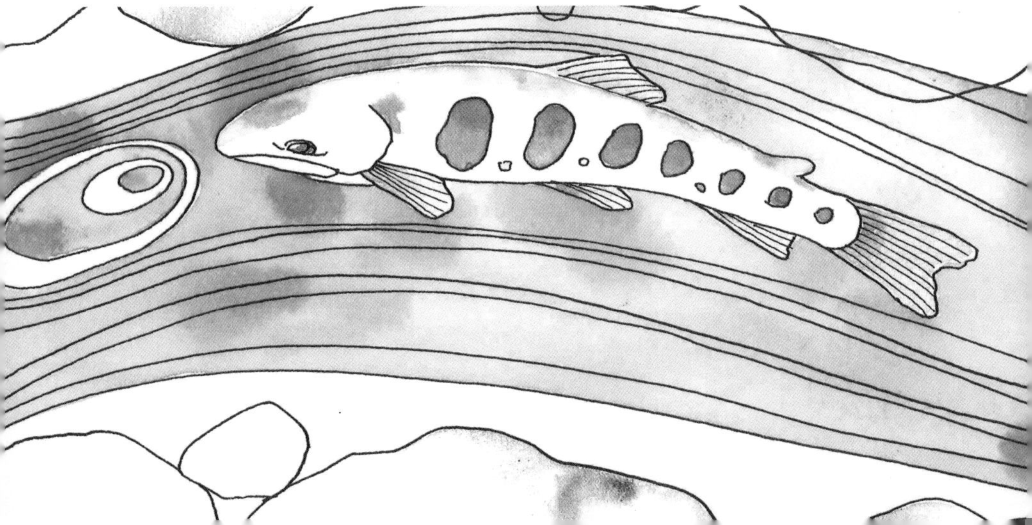

わばり争いが繰り広げられる。このとき、同種に対する攻撃行動を誘発する役割を持つのがパーマークといわれている。つまり自分の居場所……“なわばり”を確保するために、パーマークは重要な機能を果たしているのだ。濃い体色を維持するのも、自分の存在をアピールする意味があるのだろう。パーマークは陸封の紋章……つまり限られた生活圏の中で互いを認め合うための印なのである。

その一方、なわばりにこだわらずに生活できる環境が整ってくると、パーマークの必要性は希薄になる。棲息可能水域が大きくエサが豊富なほど、個体間の距離は自動的に離れ、なわばりに対する意識も薄れてくる。中下流部の流れは水量が多く、渓流部よりエサも豊富だ。広大な湖沼や海洋における生活では、争うよりも群れていたほうが外敵から身を守るのに都合が良い。攻撃性を誘発するパーマークがあっては、行動のマイナスになってしまうのだ。

普段何気なく見ている魚たちの紋様だが、そのカタチや色合い等々、すべてに意味がある。そこには生き残りを賭けた生物たちの知恵が凝縮されているのだ。

渓魚たちの肖像

その昔、釣れた魚の写真といえば、死後硬直して変色したヤマメやイワナを新聞紙の上にズラリと並べ、傍らにはタバコの箱などを置いて大きさを比較する……といった絵柄が主流だった。新聞の釣り情報や釣り雑誌でも、そんな死臭漂う雰囲気の写真を当たり前のように掲載していた。子供心にも痛々しく思えたが、渓魚たちを単に獲物として扱うのなら、そのほうが分かりやすい。獲物は殺して食料にするべきだと考える人たちにとって、それは目的達成過程における一儀式に過ぎない。釣り(遊漁)と漁(職漁)の境目はなくなったが、現在でも漁師さながらの釣果目標を設定しないと気が済まない人がいて、そういう人たちに限って、渓流魚資源に対する知識がまったく欠如しているから面白い。欲望を満たしたいだけのバカ者はいつの世にも消え去ることはない。釣果至上主義者は必要ないどころか、消えてもらわない限り、この国の明るい将来が見えてくることもない。

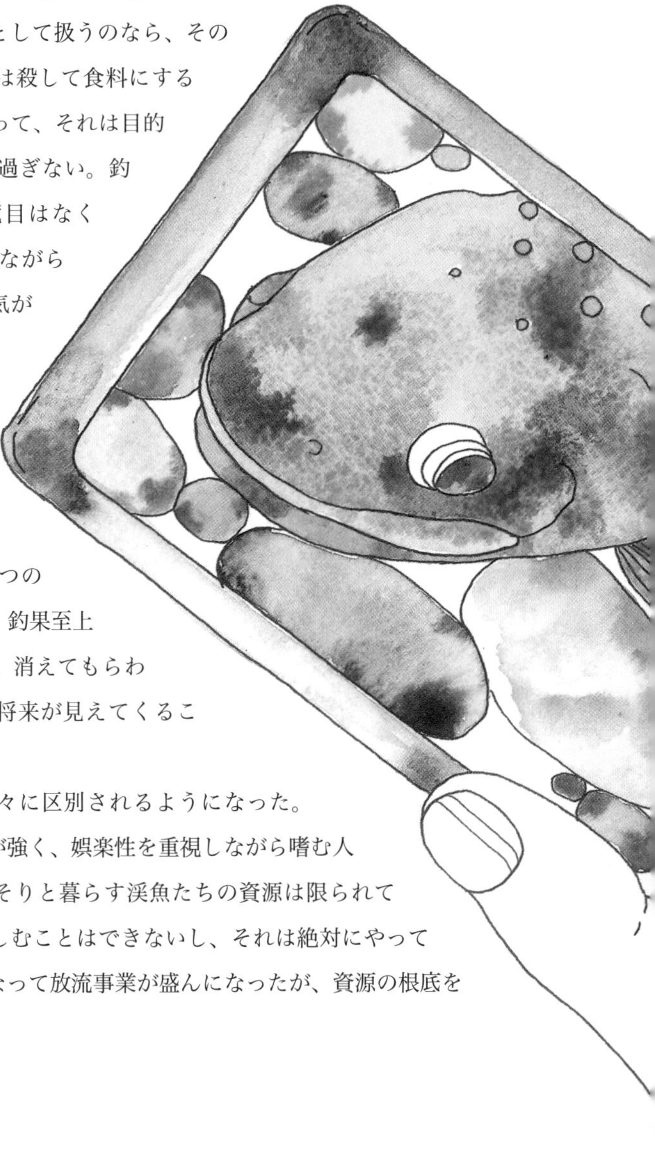

時は流れ、釣りと漁は徐々に区別されるようになった。渓流釣りは比較的その傾向が強く、娯楽性を重視しながら嗜む人が多い。山間の渓流にひっそりと暮らす渓魚たちの資源は限られているから、数量を釣って楽しむことはできないし、それは絶対にやってはいけないことだ。近年になって放流事業が盛んになったが、資源の根底を

支えるのは、細々と生命をつないできた自然由来の小集団である。

私はそうした渓魚たちの写真を撮り続けている。特に全国各地を回りながら、源流部の小さな流れに潜むイワナたちの様子を撮ることが、私のライフワークだ。そして、天然イワナの表情は実に豊かであることを知った。一匹一匹の顔つきや体型には個性があり、喜怒哀楽を全身で表現する。カメラのファインダーをのぞきながら、以前に会っていることに気付いたりもする。孤高の戦士、天然イワナたちは、群れることを好む家畜化された放流種苗とは別次元の誇り高き勇者なのである。

私にとっての釣りは渓魚たちに会うための手段以外の何ものでもないから、釣れた渓魚を食べることもなければ、命を奪うこともない。殺意は最初からないのである。それが渓魚たちに伝わっているかどうかは不明だが、写真を撮っているときの彼らは不思議なくらい大人しい。それを見て、友人たちは不思議に思うようだが、自分は特別なことをしているつもりはない。もちろん渓魚たちを落ち着かせるために必要な基本手順はあるけれど、乱暴に扱わなければ、パニック状態に陥れることなど絶対にありえない。

渓魚たちと心の中で対話しながら、写真をゆっくり撮らせてもらう。生きものとしての美しさや生命感が写真に宿り、それが見る人たちに伝わってくれれば、自分にとってそれ以上の喜びはない。

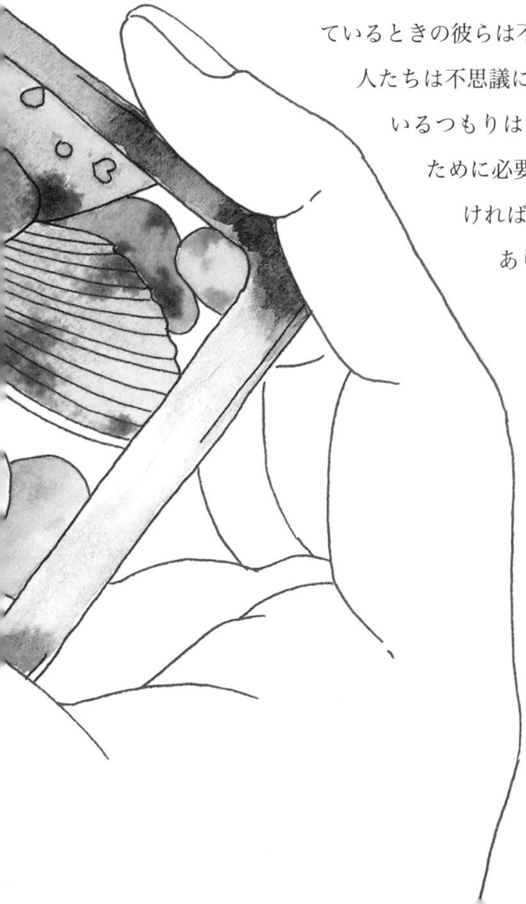

カワサバ!?

もしかすると、こんな魚を見かけたことのある人は意外に多いのでは……。

体側から背中の虫食い模様が海水魚のサバによく似ている。しかし、体やヒレの形などは、まさしくサケ・マスの仲間の特徴を表わしている。もちろんサバとは縁もゆかりもない。

実はこの魚、ヤマメとイワナの自然交雑種である。つまり、本来交わることのない異種間同士の「あやまち」によって生を授かった身の上なのだ。カワサバというのは俗称で、正式な名称は持ち合わせていない。

それではなぜ、こんな魚が生まれてしまうのだろうか?

日本国内の多くの河川でヤマメとイワナは混生している。通常はヤマメが下流側、イワナが上流側に生息するが、きっちりとした境界線が引かれているわけではなく、両者が同居する区間も普通に見られる。しかし、産卵期をずらしたり(関東地方ではヤマメは10月頃、イワナは11月以降)、産卵場所が違っていたり、互いに交わることを本能的に避けている。交雑可能な近縁種とはいえ、交わる確率を少しでも減らすため、生殖的に隔離されてきたから別個の進化を遂げてきたのである。

ところが近年、ダムや堰堤の乱立、釣り人の乱獲などの影響で、両者ともに野生魚の生息数が激減してきた。そこで魚の数量を放流によって人為的にコントロールする必要性が生じてきた。養殖技術の向上と共に、資源増殖を目的とした放流事業が盛んに行なわれるようになったのである。その一方、ヤマメはヤマメ、イワナはイワナという大雑

把な認識で、出身河川や自然の系統を無視する傾向があった。そのため、まったく異なる地域や水系の魚を持ち込んで養殖や放流に使う機会が多かった。渓流という閉鎖的な空間で生きてきた魚たちは、それぞれの生まれ故郷に適応した個性を持つことなど、認められてもいなかった。実は放流自体が、野生魚を脅かすものであることに、最近までほとんどの人が気づいていなかったのである。

また、南北に長い日本列島では、南と北で気候変化が大きい。それが渓流魚の産卵期に大きく影響している。同一種の場合、北へ行くほど産卵が早い。そのため、ヤマメの産卵期が遅い河川に、早い産卵期を持つ系統のイワナが放たれたら、両者が交わる確率が高くなる。過密な飼育環境で育てられた養殖魚は、野生を喪失しているため、無秩序で見境のない行動を取りがちだ。また、ヤマメの生息域へのイワナの放流、その逆の行為なども繰り返し行われてきた。

かくして全国各地で無差別放流が蔓延し、ヤマメとイワナの自然交雑が発生する機会が飛躍的に増えた。幸か不幸か、交雑種は生殖能力を持たない。種の尊厳はギリギリのところで保たれる。生殖器官に栄養が回らない分だけ成長が早く強いハイブリッド (F1) は、食うだけ食って死ぬか、釣り人に真っ先に釣られて生涯を終える。

自然交雑種の出現による河川内の混乱は、長い目で見れば一過性の出来事かもしれない。とはいえ、こうした現実を目の当たりにすると複雑な心境になる。自然界のルールは、人間が考えるほど単純ではない。

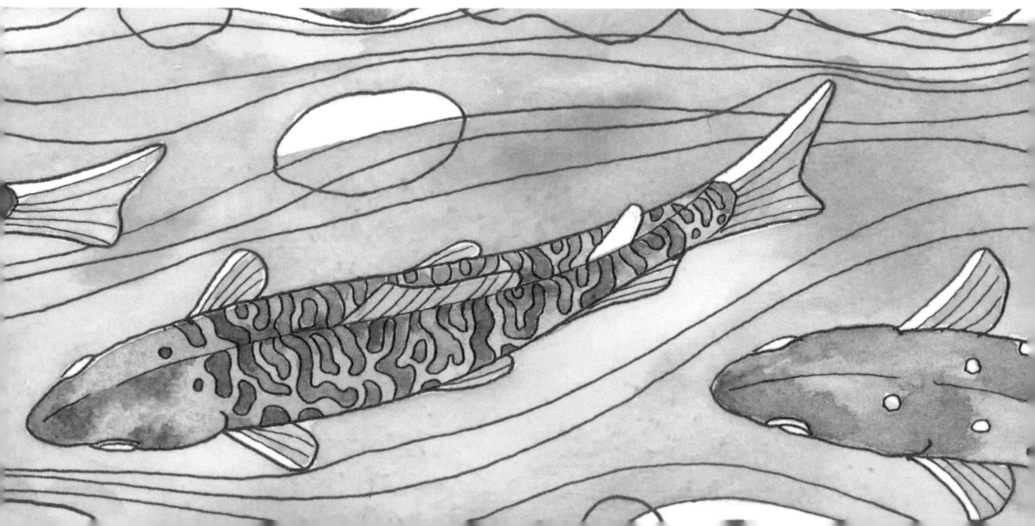

見えないカジカ

　渓流の生息環境は魚たちにとってひじょうに過酷だ。水量の増減は激しく、豪雨で一気に増水したかと思えば、日照りが数日続けばすぐに渇水する。自然災害に晒《さら》されやすく、流路や河床の状態も出水のたびに変化する。それだけに生息できる魚種は極めて少ない。抜群の身体能力を備えたヤマメ、忍耐力と大胆な行動で源流部を支配するイワナ、そしてもう1種類、ヤマメやイワナと生息域を共にする魚がいる。それがカジカである。

　カジカは川底で生活する底生魚で、底石をカムフラージュした色合、ずんぐりとした体型、不自然に大きな頭と口は……といった特徴を有している。一度見たら忘れられない愛嬌あるタイプだ。もっぱら水底の浮石のすき間などに入り込んでいるから、渓流魚と生活圏を争うことなく共存できるのである。

ところが、そんな生活形態が災いして、カジカたちは環境の変化にとても弱い。森林伐採で流出した土砂が石のすき間を埋めたり、砂防堰堤で生活範囲が分断されたり、ダムや堰堤の影響で河床が低下すると、河川内の環境変化の影響をまともに受けてしまうからだ。

　それゆえ環境指標生物として重要な役割を担っている。カジカが激減した渓流は、やはり病んでいる。フライフィッシングでカジカが釣れるのはまれだが、水生昆虫観察のためにネットを入れて水底をガサゴソすると、カジカやその卵が入ることがある。そんな川は河川内の生物相が豊かで、渓流魚たちの生育状況も良い。

Invisible fish, sculpin

何年か前の春、取材で岐阜県の奥飛騨地方を訪ねたとき、カジカの養殖に尽力しているお宅を訪問する機会を得た。卵は自然界で日常的に見ていたが、孵化して間もない稚魚は一度も見たことがなかった。興味津々、水槽をのぞくと……そこには親の容姿とは似ても似つかぬ、つぶらな瞳と透明な体を持った稚魚たちがひしめいていた。

「どうしてこんなふうに体が透き通っているのだろう？」

そしてふとひらめいた。カジカの稚魚たちは、透明な水色にカムフラージュしているのではないか。親たちは底石に、子供たちは水色に、それぞれの体色を溶け込ませて身を守る。なんと美しい護身術なのだろう。

自然環境においては、カジカのオスは石裏の空間にメスを誘い、そこで卵を産んでもらう。それからというもの、オスは産み付けられた卵を外敵から守ったり、新鮮な水流を胸ビレで送りながら、子育てに没頭する。父性愛に満ちた優しい父親ぶりを発揮するのである。それもまた、厳しい環境で生き抜くために、太古の昔からカジカたちが習得してきた生き残り戦略なのだ。

子供の頃から親しみを寄せていたカジカという魚の生きざまに、あらためて新鮮な魅力を感じるのであった。

異界からの声

五月の光に、ブナの新緑がまぶしい午後だった。そこは岩手県北部を流れる渓で、地図を頼りにふらりとやってきたのである。初めての渓は新鮮で、期待は高まる一方だった。

流れに沿った林道に車を走らせながら、時々車を止めては川を眺めた。雪代に洗われた渓筋は美しく、谷間の岩肌にはヤマツツジの深紅が新緑に彩りを添えていた。

かなり上流まで走ったところで、小さな木の橋を見つけた。車から降りて橋の上に立ち、上流方面を見渡すとすばらしい渓相が延々と続いている。

さて、ここから釣り始めようかと、車に戻って釣りの準備に取り掛かろうとしたときだった。

すぐ近くで、

「すみません……」

という声が聞こえた。人の姿は確認できなかったが、40代くらいで艶のある声質だった。

突然のことに少し驚いたが、私は自分が呼び止められたと勝手に判断して、反射的に返事をしてしまった。

「はい……」

ところが、女性の声に反応したのは私だけではなかったのである。

「はい……」

まったく同じタイミングで、やはり姿の見えない男性の声が私の声にかぶったのだ。というより、私が彼らの会話に入り込んでしまったような印象を受けた。

けれども男性の声は、低くて落ち着いてはいるものの、どこかトーンがおかしい。近くにいるのか遠くにいるのか分かりづらい音の響きだった。

もちろん周囲に人の気配はまったく感じられない。

何が起こったのか理解できないまま、私は呆然と立ち尽くしていた。

「誰もいないじゃないか！」

すると、われに帰った刹那、猛烈な勢いでつむじ風が林道を駆け抜けた。

ブナの枝葉が大きく揺れ、巻き上げられた砂粒がパチパチと車の屋根を叩いた。風は

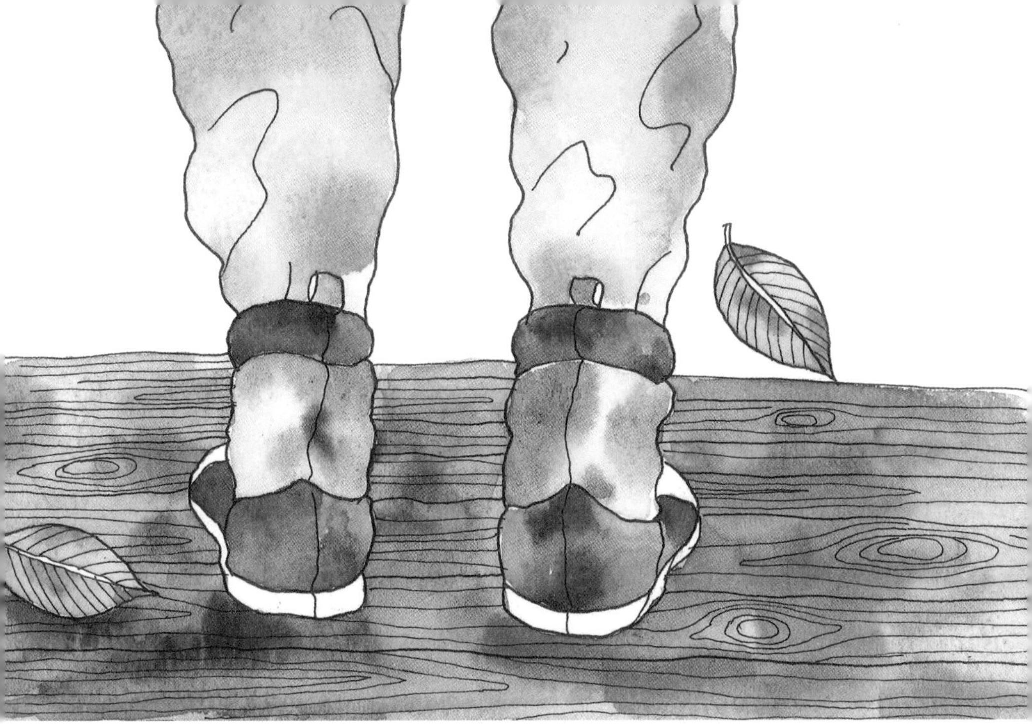

Gone with the wind

青い空へ灰色の渦を描きながら舞い上がり、その直後に恐ろしいほどの静寂が訪れた。

　もしかすると私は、何かの拍子に別の世界へ入り込み、そこの住人たちと言葉を交わしてしまったのかもしれない。

　慌てて車に乗り込んで、一目散に林道を駆け下った。

　森の精霊のいたずらにしては、やりすぎではないか……。

　スピリチュアルな感性とは無縁の自分には、あまりにも強烈な体験だった。森を住処にするものには、得体の知れない何かが混ざっている……その存在を気にしてばかりはいられないが、完全に否定することができないのも事実である。

タニウツギ

沢筋にタニウツギの花が咲くと、イワナ釣りのシーズン到来である。

タニウツギはスイカズラ科に属す低木だ。ウツギといっても「卯の花」でおなじみの「ウツギ」とは分類上の関係はない。ウツギとの共通点は枝の構造が中空になっていることで、これがウツギ（空木）と呼ばれる由縁である。

タニウツギは全国各地に分布しているが、日本海側の積雪量の多い谷筋や山の斜面でより多くの花を見ることができる。地域によっては食用にすることもあるそうだ。また、分布域の広さから、たくさんの方言で親しまれている。例えば新潟県では、「タウエバナ」「イワシバナ」というように、農作や漁のシーズンを連想させる呼び方もある。また、「カテバナ」「ホトケバナ」など生活シーンに関わる呼称も多い。花色は清楚な薄紅色だが、よく見ると濃淡のグラデーションが美しい。

豪雪地帯では融雪期になると雪崩が多発する。そのため谷筋の急斜面にブナやミズナラなどの高木類が占める割合が減少する。そこに進出するのがタニウツギのようにしなやかなで丈夫な枝の構造を持つ低木類だ。急斜面の下を流れるのは、イワナたちが棲む渓流である。タニウツギは雪解けが一段落するのを待っていたかのように、一斉に花をつける。その時期は、イワナ釣りが本格化するシーズンと見事に一致する。それだけに、釣り人にとっては馴染み深い初夏の花なのである。

大きなイワナが釣れたとき、静かなプールの水面に揺れていたタニウツギ。両岸を

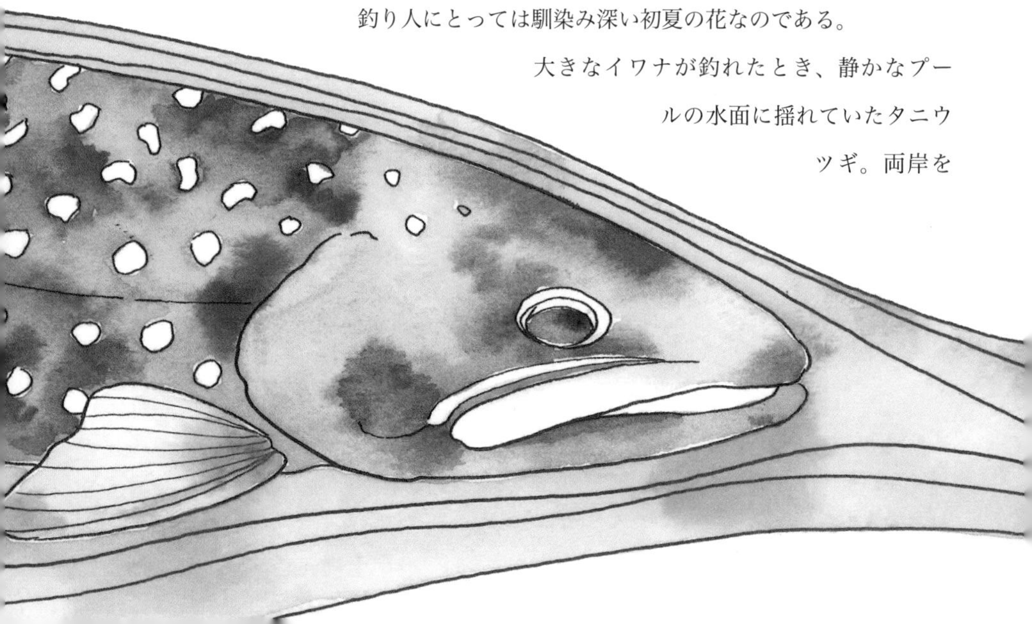

Weigela hortensis

埋め尽くして咲き乱れる様子は薄紅色の回廊のようだった。たくさんの思い出が、タニウツギの花と一緒に、記憶の中に残っている。

　渓流のフライフィッシングは、自然界の動きに気を配ることでより一層の楽しさを体感できる。野に咲く花で季節の変化を読み取り、羽化する水生昆虫を観察して、その日に使うフライ（毛鉤）を決める。

タニウツギの咲く頃に羽化する重要な水生昆虫は、モンカゲロウ、カミムラカワゲラなどの大型種だけでなく、クロマダラカゲロウ、ヒメヒラタカゲロウ、そしてヒラタコエグリトビケラといった中〜小型種も多く見かける。

　生きものたちのつながりを想像しながら描く生態系の宇宙は果てしない。自然は様々な疑問を投げかけてくるが、その謎を紐解く努力を惜しんではいけない。自然界の動植物が織りなす現象を研究するフェノロジー（生物季節学）への理解を深めるほど、釣行の充実度が増す。

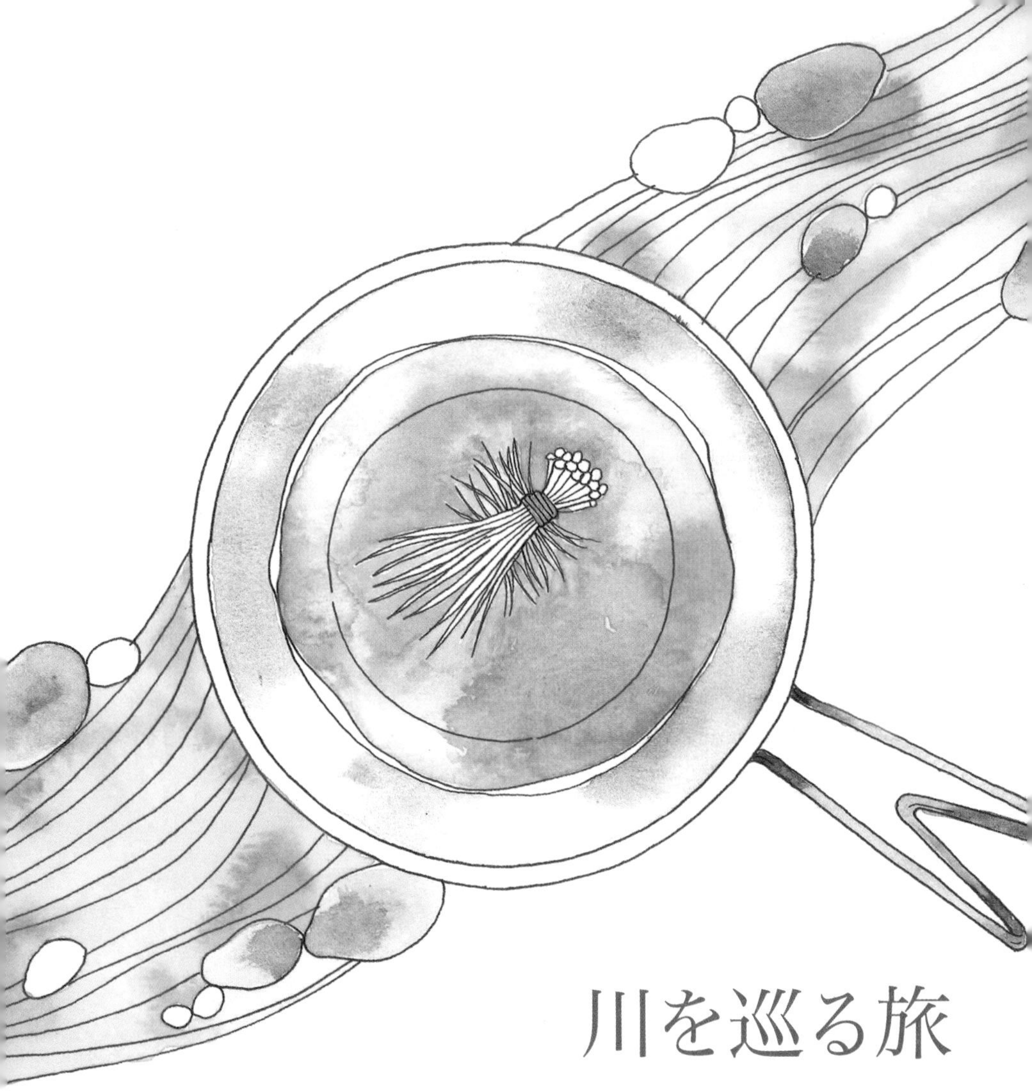

川を巡る旅

「遠くへ行きたい」というTV番組を観て、見知らぬ土地に憧れたのは中学生の頃だった。同名の番組主題歌も大好きで、今でも旅の徒然《つれづれ》にふと口ずさんでいる。哀愁をおびたバラードは、一人旅で慌しくなりがちな気分を落ち着かせてくれるのだ。

毎年6月になると、東北地方から北海道方面を巡る3週間ほどの旅に出る。初夏の北国の山河を巡り、渓魚たちと出会うことが目的の旅だ。行く先々で釣りのスクールを開催したり、写真撮影に数日間を費やしたりと、気ままなうちにも緊張感を絶やすことな

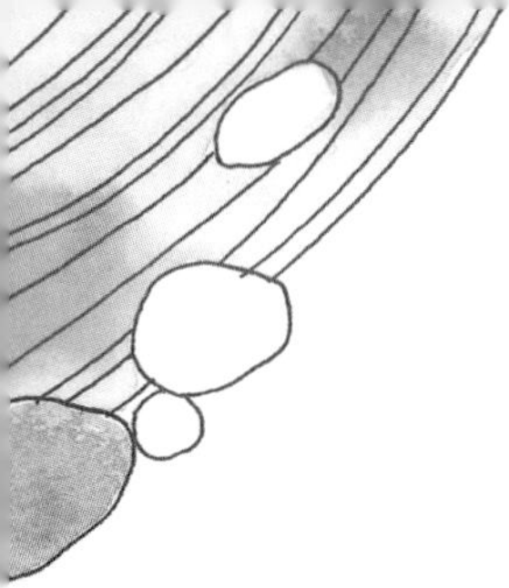

く、メリハリのある時間を過ごそうと思っている。

川には個性があって、そこに棲むヤマメやイワナたちの容姿も微妙に異なる。狭く閉ざされた空間で進化してきた渓流魚たちは、環境に適応するため多様な変化を見せてくれる。関東近辺では放流事業が盛んになりすぎて、野性味が薄れつつあるが、北日本ではまだまだ地域ごとの野生の生きざまを力強く感じ取れるのだ。

同様に、山間部の植生や目にする昆虫の種類も地域によって特徴がある。気候の違いだけでなく、土壌による植生の違いや水質の特色が反映されて、地域独自の自然を創出している。自然界は一様に見えても、その内側は多様性に富み、飽きることがない。自分自身で訪れて、自分の眼で確かめることが、理解への第一歩なのである。

初めて訪れる川では水を口に含み、舌に乗せて味わってみる。美味しいとか、不味いとか、そういった味覚の問題ではなく、川の水を確かめるのだ。鉄分が苦みになったり、少し塩分を感じたり、石灰のアルカリを感じたり、ミネラル成分の配合が微妙に口当たりを変えて実に多様な舌触りを感じるのだ。また、落葉樹林を流れる水と、針葉樹林を流れる水とでは、香りや舌触りがまったく異なる。そして自然の成り立ちを感じつつ、目を閉じて美しいイメージが湧いてきたら、ゴクリと飲み込む。衛生的とはいえないのでお勧めできないが、きれいなイワナたちが棲む沢筋の水は例外なくうまい。

そんな多様な自然界に触れることができる旅は、自分の中に貴重な経験として積み重ねられていく。そして旅で一番嬉しいのは、行く先々で出会う人たちの人情だ。これは全国共通、世界共通、人類に共通する人間のやさしき感情である。人気《ひとけ》のない川ばかりを訪ねるから、たくさんの人たちと触れ合う機会が少ないが「旅は道連れ、世は情け」とはよくいったものだ。川を巡る旅に終わりはない。

なつ

Summer

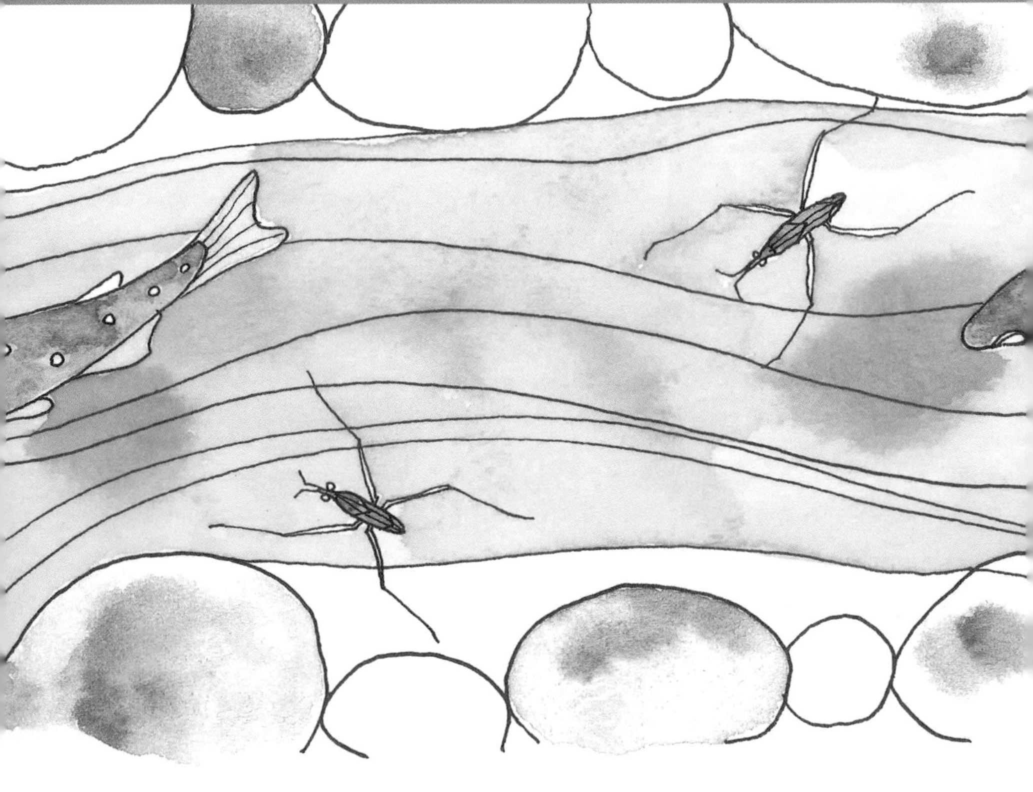

立夏の候、五月の美空、ハルゼミの合唱、
山里を離れ、山岳渓流へ向かう。
さまざまな陸生昆虫が山に集い、渓魚たちをさらに太らせ、
魚体をピカピカに磨き上げる。
草いきれの山道、息を弾ませ、源流を目指す夏の楽しみ。
一期一会の風景、水辺で過ごす夜は、語り尽くせぬ至極のひととき。
ある日、急に空が高く見えると、すぐそこに来ていた秋の声に驚く。

夏ヤマメ

夏の渓流は爽快である。

釣りはもちろんのこと、ただ歩き回るだけでも充分な魅力と楽しさを備えた手軽なフィールドだ。沢筋は冷水を湛《たた》えた緑の回廊、そこで１日過ごせれば、誰もが心身ともにリフレッシュできることだろう。

しかし、釣り場としての夏の渓流はなかなか厳しい。対象魚がヤマメなら、それはなおさらだ。そして盛夏のヤマメ釣りの難しさを、釣り人たちはこんなふうに表現してきた。

「夏ヤマメ、一里一匹」

春先から水生昆虫をモリモリ食べて力強く成長してきたヤマメたちは、さらに栄養豊富な陸生昆虫を飽食して夏を迎える。コンディションの良い魚体は美しさも格別で、撮影の被写体としても完璧だ。

秋の産卵を前に、雌雄ともにすこぶる食欲旺盛。俊敏な動きたるやまさに電光石火。水温の上昇に伴って酸素の豊富な早瀬に入るので、釣り人はそのスピードに翻弄される。

それでいて判断力にも優れ、瞬時に“毛鉤＝ニセモノ”であることを見抜かれる。人を近づけない慧眼さを備え、釣り人のわずかなミスを見逃さないから、まったくもって手に負えないのである。悠々と流れに定位する姿や、広いプールをクルージングする様子を視認できても、手中にするのは困難を極めるのだ。それが尺ヤマメともなれば、本当に見るだけで終わることのなんと多いことか。ロッドを動かした瞬間、ラインが宙を

走った瞬間、リーダーが水面に落ちた瞬間、それらをすべてクリアして、フライが口元へ運ばれた瞬間、スパッと見切って逃走する。口惜しさまぎれの炎天下の雄たけび、ヒグラシの合唱にかき消される夕刻の落胆……。これらすべてが夏のヤマメ釣りの試練だ。

夏ヤマメは釣り人に計り知れないストレスを与える。釣り人は口惜しさにまみれながら、一縷の望みを胸に挑み続けるのである。

それにしても、一里といえば約 4km だ。それだけの距離を一日釣り歩くだけでもたいへんなのに、その挙句一尾しか釣れないとは切なすぎる。

そんなわけで、実際にはかなり大袈裟な表現ではあるのだが、釣りに夢中になってばかりいないで、渓をゆっくり歩きながら、そこで出会う様々な事象を楽しみなさい……という訓示なのだと、私自身は解釈している。

ヤマメやイワナたちはもともと資源量が豊かな魚とはいえない。数を釣るより、一尾の大切さを重んじるべきである。それなのに日本人の悪いクセで、数釣りに偏《かたよ》ったり、競技にしたりと、自然界の法則に反した方向へ走り出す傾向がある。もっと純粋に釣りを楽しむことが何よりも大切で、何よりも幸せなのである。

海外遠征の必要

1980年代中盤から2000年まで、年に2、3回のペースで海外釣行へ出かけた。

行く先はアメリカ西部の山岳地帯、そしてニュージーランドの南島あたりが中心だったが、足の向くまま気の向くまま、いろいろな場所を歩き回った。もちろんフライロッドを片手に、ウェイダー（ナガグツ）を着用する必要のあるところばかりだったが……。

釣りの対象魚は、主にニジマスやブラウントラウト。これらの魚は世界共通のフライフィッシングのターゲットである。

そんな私の行動を見て「海外で大きな魚ばかり釣っていると、日本の釣りがバカらしくなるのでは……」という人がときどきいる。釣りのことをあまり知らない人が想像しがちなことだが、私としては、そんなふうに思われるのは誠に遺憾である。というより、そんな狭い了見では、日本の渓流魚たちに申し訳が立たない。

私は大きな魚を釣るために、海外を巡ってきたわけではない。海外の見知らぬ土地や川を訪れ、その土地の風景に溶け込んで釣りをすることが何よりの楽しみだったのだ。確かにアメリカやニュージーランドには、一度訪れたら一生忘れることのできない素晴らしいフィールドがたくさんある。そしてそんな場所は自然環境に恵まれている

から、魚たちのコンディションも良好で姿も美しい。釣り場の管理も行き届いていることから、平然と違法行為を行なう者たちの脅威に怯えることもない。

しかし、どんなに美しい自然に囲まれ、どんなに大きなマスを釣ろうとも、頭の中から故郷の渓景色が消えることはない。それどころか、故郷の渓で遊ぶヤマメやイワナたちが、よりいっそう恋しく思えてくる。

放浪癖は生まれつきで、だからこそ故郷を思う強い気持ちが強いのかもしれない。外の世界を知れば知るほど、日本の良いところ、悪いところが浮き彫りになるが、それを気付かせてくれるところに旅の価値がある。

釣りは私を至上の幸福へと導いてくれるだけでなく、自然や社会を見直すための大切な行動でもある。そして釣り旅で出会う人たちの優しさや人情に触れるたびに、フライフィッシングをやっていて本当に良かったと思う。

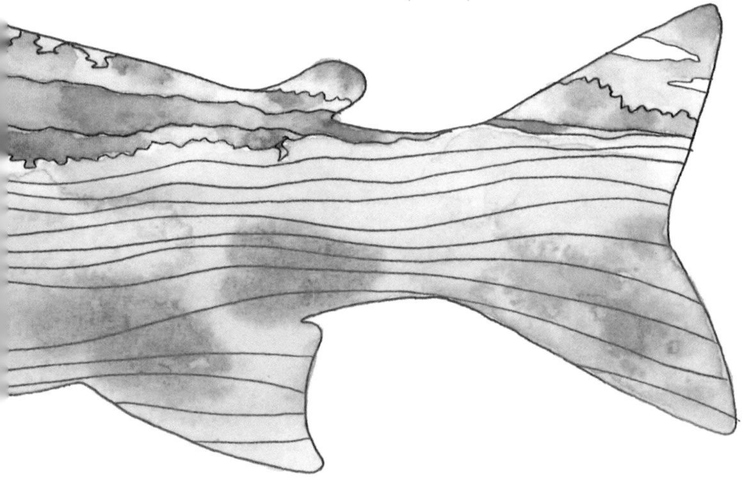

ヒゲナガカワトビケラ

トビケラは水生昆虫の仲間で、400種以上が確認されている大きなグループである。ニッポンヒゲナガカワトビケラ（通称：ヒゲナガ）の成虫は体長40mmに達する大型種で、全国各地の河川の中・上流域に生息している。暗緑色の少しグロテスクな幼虫、大きな蛾の仲間にしか見えない成虫、どちらも誰もがきっと目にしている。

成虫を見て、これをトビケラの一種と瞬時に判断できる人はまずいない。そのため、ハエたたきや殺虫剤の犠牲になることも少なくない。分類学的にも蛾の近縁種で、翅は鱗粉のように微細な毛で覆われている。春から秋にかけて羽化し、夜は灯火に飛来する習性があるから、蛾に間違われても仕方ない。

私の住む前橋市内のマンションでは、ベランダや外階段に利根川で羽化したヒゲナガがほぼ1年中飛来する。エレベーター内に侵入して飛び回ったり、網戸の隙間を突破して室内に入り込んだり、奥様たちに嫌われる行動を取るので、すこぶる評判が悪い。壁にじっと止まっていればいいのに、せわしなく、狂ったように飛び回るから始末が悪い。動きを読みづらくて、対応が困難なのだ。熱や炭酸ガスに反応して集まる習性があるため、執拗にまとわりつかれて、通路に絶叫が響き渡ることもある。人には何の害も与えないのでご安心くださいと、20年来皆さんにレクチャーを試みているが、理解を得る

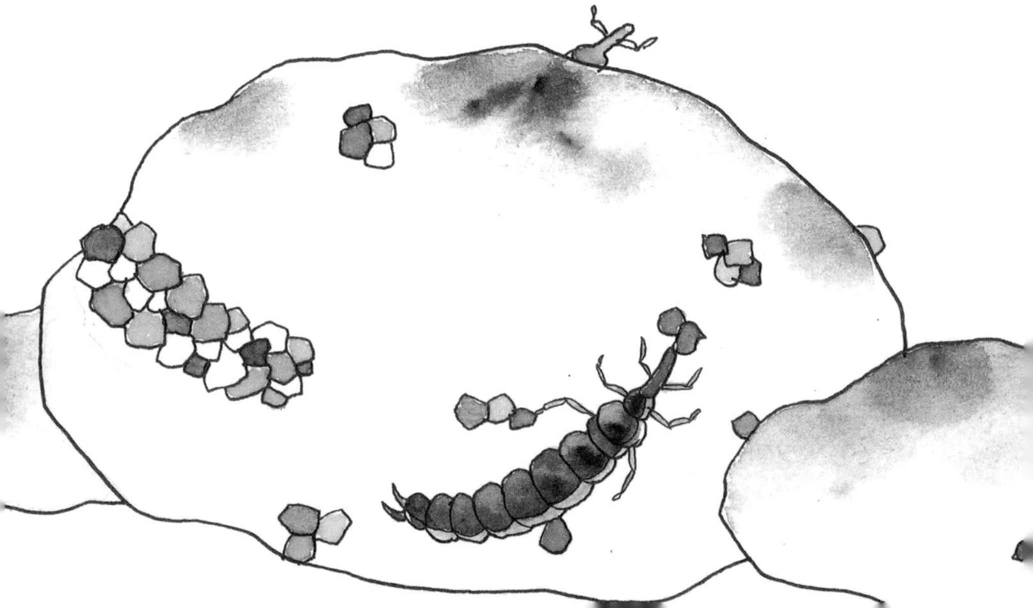

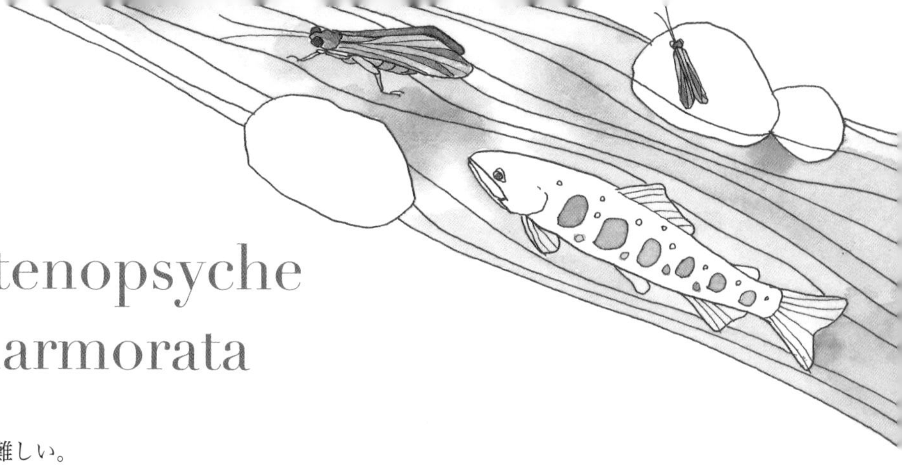

Stenopsyche marmorata

のは難しい。

河川に生息するヒゲナガの幼虫は、イモムシ型で青みがかった暗緑色をしている。クロカワムシ（黒川虫）と呼ばれるが、釣りをしない人にはほとんど知られていない。釣りエサとして不動の地位を築いているのは、実際に魚たちに捕食される機会が多いことを裏づけている。長野県伊那市周辺の珍味「ザザムシ」は、天竜川に棲む水生昆虫を集めた佃煮だが、内容物の７０％以上がヒゲナガの幼虫で占められるという。食材としての魅力が知られるようになれば、扱いや印象も違ってくることだろう。

幼虫は粘着性のある糸を吐き出し、小石を集めて頑丈な巣を作る（造網性）。巣の周囲に張り巡らせた網状の糸に引っ掛かる他の水生昆虫の死骸や有機物を食べている。

幼虫が吐き出す糸は、自分のすみ家やエサ場を確保するだけでなく、川底の石を安定させる効果がある。川床の安定は、川底に棲む他の生物の安定にもつながる。つまり、河川の清掃係としての役割だけでなく、水中の生物全体の安定した生息環境を提供する役割も担っているわけだ。

造網性のトビケラは、河川全体の生物相を豊かにする面がある一方、川床の更新を阻害して固着化させる。粘着糸は底石を接着剤で固めるような効果があるため、本来ならば砂礫の隙間を通過するはずの水が目詰まりを起こしてしまうのだ。水力発電の導水路壁面に付着して、発電効率を低下させることもある。

このようにトビケラという水生昆虫は、意外に我々の生活と深い関わりを持っている。ハエ叩きを手にする前に、そんなことをちらっと思い浮かべていただければ幸いである。

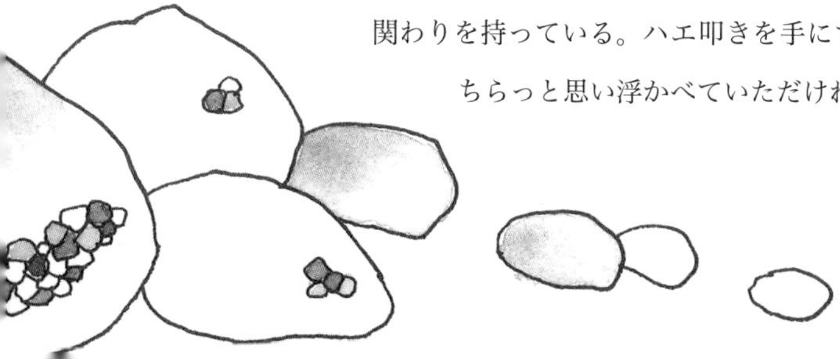

サイト・フィッシング

　フライフィッシングの秘訣は、釣る前に魚を見つけること、そしてそれをいかにして確実に釣り上げられるか……その一点に集約されているといっても過言ではない。これは“サイト・フィッシング”と呼ばれ、フライフィッシングでは必須の作戦である。しかし同じフィールドを共有するエサ釣りやルアー釣りでは、必ずしもこれが優先されるとは限らない。見えない魚を釣る面白さもある。楽しみ方はいろいろだが、フライフィッシングは視覚を重視した釣りなのである。

　昔から“見える魚は釣れない”とか、“水清ければ魚棲まず”という言葉を耳にする。ところがフライフィッシングでは、そんな言い伝えとは裏腹に、ことさら澄み切った水に泳ぐ渓魚を見つけようとする。渓流の水は透明度が高く、水中の様子が手に取るように分かるから、それを利用して魚の居場所を突き止めるわけだ。ところが逆に考えると、水中からも外の世界が丸見えになっているわけで、渓流魚の警戒心はひじょうに強いのだ。背中の紋様は迷彩服のようなものだから、簡単には見つけられない。そのうえ普段は岩陰に隠れたり、波立つ流れの底に潜んだりしているので、視認するのは容易ではない。細心の注意を払った行動を心がけ、水面の乱反射を防ぐ偏光グラスを着用して、見落とすことがないようにうかがう。しかも相手にこちらの気配を悟られてはいけない。ワイルドな相手には、こちらもワイルドな感性に磨きをかけて対峙しなければならない。

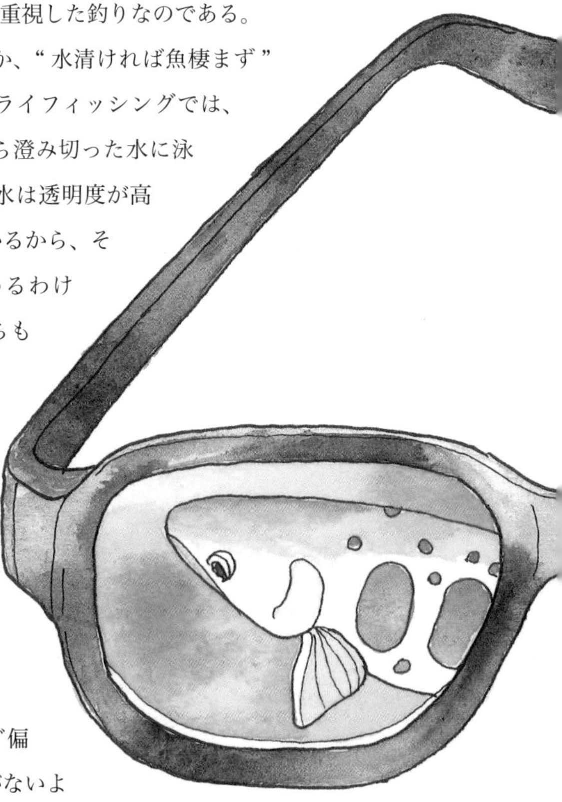

しかしながら、渓魚たちはときどき驚くほど大胆な行動に出ることがある。それはエサとなる昆虫類が集中的に羽化や流下する時間帯に居合わせたときに確認できる。渓魚たちは隠れ家を離れ、流下する水生昆虫を効率よく捕食できる場所に移動する。それは何でもない浅瀬の脇だったり、深い淵の表層付近だったり、神出鬼没な行動を取って釣り人を弄《ろう》する。でもそれは、一日のうちの限られたほんのわずかな時間帯で、決して長くは続かない。チャンスは夕方に最も多く訪れるが、春は日中にもそんな時間帯が訪れる確率が高い。だからその時間を待つ忍耐力が釣り人には必要だ。

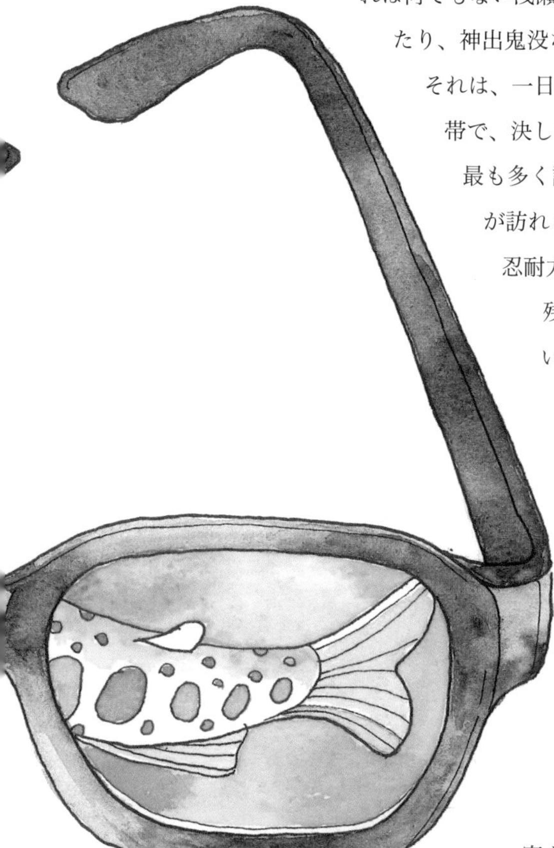

残念なことに長年渓流釣りに親しんでいる人でも、そんな魔法の時間の存在自体に気がついていないことが多い。なぜなら昆虫類の生態を知らなければ、羽化や流下の時間帯に気を配ることができないからだ。また、たとえ千載一遇のチャンスと向き合っていても、意味不明のまま見過ごしていることもあるだろう。

釣る前に魚を見つけるというフライフィッシングの秘訣は、自然観察を怠るなという意味でもある。釣りの最高の師は、自然そのものなのだ。

Sight fishing

ハコネサンショウウオ

イワナがすむ河川最上流部の環境は過酷だ。冬は雪に埋もれる氷の世界。渇水期には流れが干上がり、イワナたちはわずかな深みを見つけて身を隠す。ところが、イワナよりさらに上流の最源流部周辺を利用して命をつなぐ生きものがいる。それは全長20cmにも満たない小型のサンショウウオの仲間だ。サンショウウオは移動や分散が制限される環境に棲息するため、独自の進化を遂げた種類も多い。現在、国内で確認されているだけでも19種が知られている。今後、遺伝子解析による研究が進めば、もっと多くの未記載種や新種が発見される可能性が高い。

イワナ釣りに出かけたときよく見かけるのは幼体である。カエルやイモリと同じ両生類のサンショウウオは、成長に伴い呼吸方法や生活のステージを変える。幼体は水中生活を送り、成体は水辺を離れ、森林内の倒木や石の下などの湿ったところで暮らす。

群馬県内で最も普通に見られるのはハコネサンショウウオだ。毎年6月頃に産卵期を迎え、成体が森の中から渓流付近に三々五々集まって来る。地域によっては沢に集合したサンショウウオを捕らえ、黒焼きにして食べる習慣がある。その時期だけで、かつては数万の成体が捕らえられたという。

黒焼きとは、串に刺したサンショウウオをたき火でいぶし、ヨモギの葉などに入れて臭みを抜いたものだ。福島県の檜枝岐村では名物になっている。栃木県の奥鬼怒・川俣温泉近くの土産屋では「奥鬼怒のバイアグラ」という商品名で売られていた。生命力の

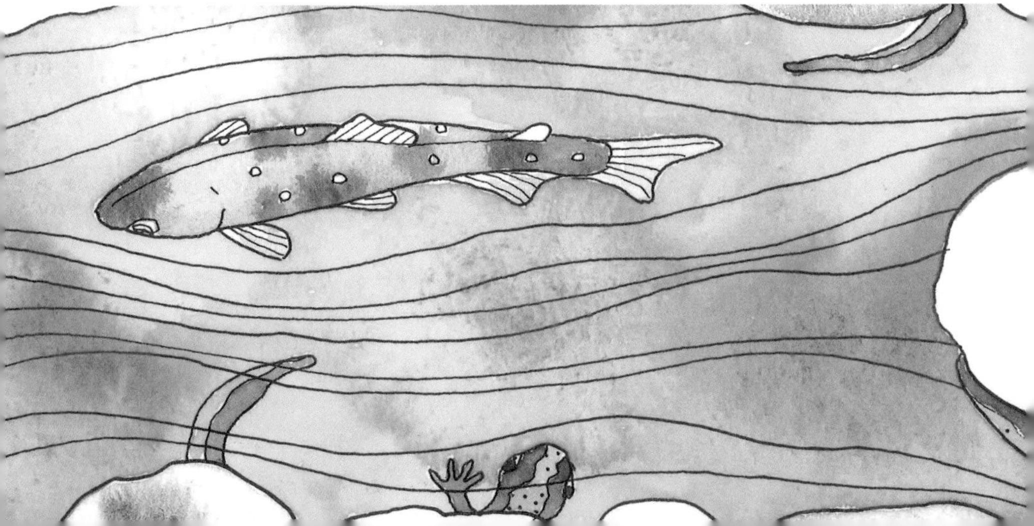

強い生きものなので、精がつくそうだ。天然の強壮薬なのだろうが、科学的根拠については不明である。

成体が産卵のために沢へ現われる頃、幼体が大量に流下する現象が起こる。生息密度が高くなるのを嫌い、雪解け水に乗って移動するのか。はたまた成体に追い出されるのか。理由は定かではないが、この時期に下流へ流される幼体は、イワナたちの重要なエサになる。

釣り上げたイワナが幼体を吐き出す様子や、岸際付近の石の間に頭を突っ込んで、捕食行動を取るイワナを何度も目撃した。欧米の研究では、サンショウウオの生活圏へイワナの一種を放流したところ、サンショウウオの個体数が数年のうちに激減したという報告もある。イワナたちにとっても、サンショウウオは体力回復のための絶好の食料になるらしい。

産卵期はサンショウウオたちが待ち望む季節である一方、さまざまな外敵の目にさらされ、大変な犠牲を強いられる受難の季節でもあるのだ。

道南のイワナ釣り

道南（北海道南西部渡島《おしま》半島周辺）では山里を少し外れるだけで、野生の気配に満ちたフィールドが広がる。自然界を支配するのは現在でもヒグマだ。かつてアイヌの人々がカムイ（神）と崇めたヒグマは、今も昔も圧倒的な存在感を持って、この地に君臨している。

渓流釣りへ出かけるとき、私たちの行動や活動範囲を制御するのもヒグマの存在である。出没情報を集めたり、危険箇所を入念にチェックすることで、遭遇の回避に努めるのだ。単独行動は厳禁、常に複数で行動するように心がける。

函館市内でフライフィッシングの専門店「アングラーズハット」を営む八鍬宏之氏は、私の古い友人である。ショップを経営してから15年ほど経つが、10年ほど前からフィッシング・ガイドを兼業するようになった。現地の渓流釣りのハイシーズンは６月から９月。その間はガイド業で忙しい日々を送っている。

北海道のイワナは深山の渓流だけに棲む魚ではなく、市街地付近の渓流でも普通に姿を見かける。しかし、より豊かな自然環境に暮らすワイルドなイワナを満喫するには、必然的に奥へ奥へと足を運ばなければならない。そのとき、いくら経験が豊富だからといって、地図や勘に頼るだけの行動は危険が伴う。地域の自然の特色を一朝一夕に理解するのは不可能だ。現地で長年培った経験と実績がなければ、状況に応じた適切な行動を取ることはできない。私が現地で気ままに動き回れるのは、彼の適切なアドバイスを

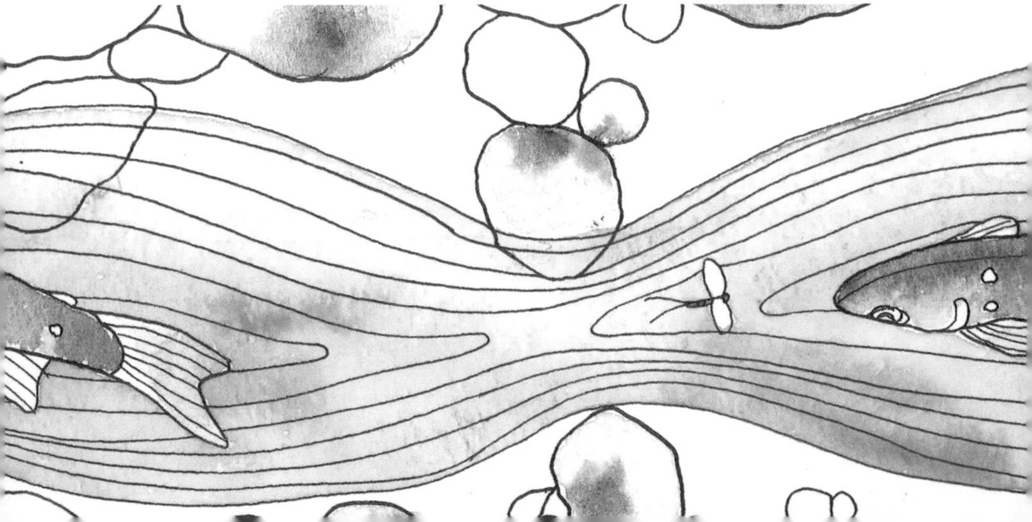

授かりつつ、ショップに集まるたくさんの地元の友人たちと常に行動を共にしているからだ。

彼の手が空いているときには同行をお願いして渓へ出かける。釣りに対する豊富な経験と知識はいうまでもないが、自然に対する彼の洞察力を間近に見るにつけ、プロのガイドとしての力量に驚かされる。

安易に人を寄せ付けない自然は、今となっては貴重な存在だ。道南のブナやミズナラの森は多くの野生動物を育み、驚くほど多様な表情を見せる。日本に残された天然イワナたちの数少ない聖域であり、ワールド・クラスのクオリティを秘めた上質な自然を体感できる希少なエリアなのである。もしも海外の釣友が日本に来たら、迷うことなく道南へ連れて行くだろう。

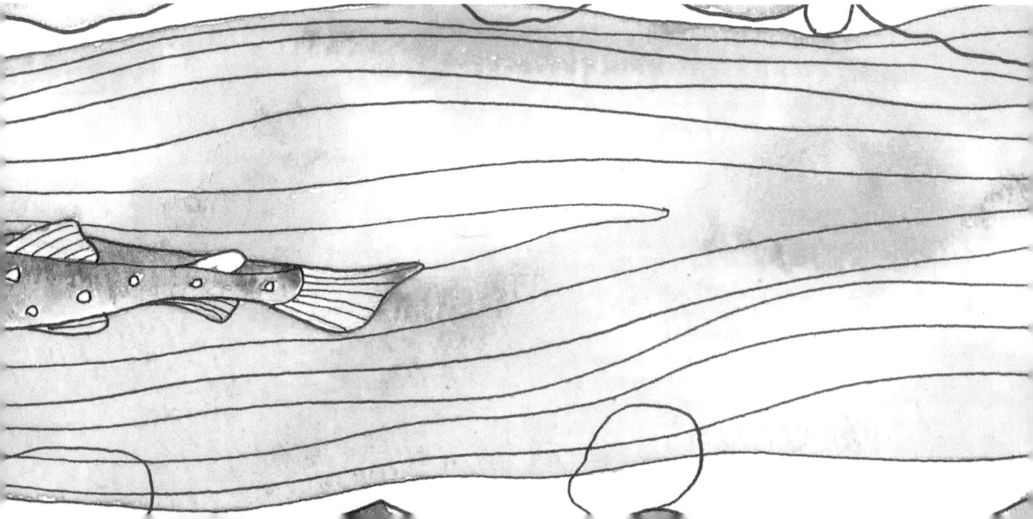

せせらぎに耳をすませて

　深山の渓流を歩くとき、途切れることなく聞こえるのは谷間に響く水の音である。音量としては相当な大きさのはずなのに、水の音には煩わしさを感じたことがない。滝の直下で野営しても、盛大な水音が眠りを妨げることはない。

　深い森に囲まれた渓流では、せせらぎは一際やさしい音色を奏でる。そのことに気づいたのは、重いザックを背負って、みちのくのブナの森を渡り歩いていた頃だった。

　川原に小さなタープを張って夜を過ごす。歩き疲れた身体を横たえ、背中を伝うせせらぎの響きを感じると、まるで自分が大地と一体になったような錯覚に陥る。周囲は完全な暗闇だから、視覚以外の感覚がいつもよ

り冴えてくる。

ある晩、水辺で眠っているとき、あまりの静けさに気味悪くなってフラッシュライトを取り出し、水面を照らしてみた。しかし何があるというわけではなく、暗闇を引き裂くライトの光線が、対岸の稜線をくっきり映し出しているだけだった。水は確かに動いていたが、視認できる変化は見いだせなかった。再び寝袋に潜り込んで、この静けさはいったい何だろうと思いを巡らせるうち、いつのまにか眠りに落ちてしまった。

翌朝早く、小鳥のさえずりで目が覚めた。そしてあたりを見回したとき、あることにふと気づいた。

それは水辺の岩肌をびっしりと覆う苔の存在だった。どうやら苔が水音を和らげているのだ。たとえばアスファルトの上に水を落としたときの音と、絨毯の上に水を落としたときの音を較べたらどうだろう。水を受ける面積が大きく、しかも柔らかい絨毯のほうが、ずっと静かな音になる。それと同じ理屈で、苔が水の衝突音を緩和しているのだ。

落葉広葉樹林の貯水能力の高さはよく知られている。それが渓流の水量を調節して、雪解けや大雨のときでも、急激な水位の変動を抑制する。水量が安定すれば、川床を形成する岩石の動きも少なくなり、その表面に苔類が密生しやすくなる。水際の苔がせせらぎの音色をコントロールしているとは、それまでまったく気付きもしなかった。

皆さんも、せせらぎに耳をすませながら、渓を歩いてみてはいかがだろう。もしかすると、あなたにしか気づかないメッセージが聞こえるかもしれない。

釣りの楽しみは、魚を釣るだけではない。ちょっとした発見で、よろこびは何倍にも大きく広がっていく。

The sound of stream

新しい生命

渓流を歩き回っても、そこで生まれ育ったヤマメやイワナの稚魚の姿を見かけることはあまり多くない。ほとんどの渓流では、釣られた魚がすべて持ち帰られてしまうから、稚魚を残す親魚が残れない。資源の供給は、稚魚・親魚に関わらず、養魚場出身の魚たちによってまかなわれることが多くなり、自然産卵の実態については、ほとんど把握されていないのが実情である。

そんな中、神流川上流部を管轄する上野村漁協では、新しい試みに取り組んでいる。まず、上野ダム完成の翌年の 2006 年、ダム直下の一定区間に『本谷毛ばり釣り専用区』という特別な釣り場を設けた。毛ばり釣り専用、キャッチ＆リリース、完全予約制、人数制限といったシステムを導入して、資源の枯渇を防ぎながら釣り場の価値を高めようとしたのである。ところがしばらくして、思わぬ難題に直面した。ダムの出現で上流部からの小石や砂礫の供給が実質的に断たれ、川床が下がってしまったのである。そのため岩盤が露出し、渓流魚の産卵適地が年々減少する問題が発生した。せっかく親魚が残っても、産卵できる環境がなくてはどうにもならない。そこで漁協と釣り人が協力して、人工産卵床の造成に着手することになった。苦肉の策ではあるけれど、産卵に必要な大きさの小石や砂礫を川床へ入れ、本来の河川環境を復元しようと試みたのである。自然産卵によって生まれた稚魚の生存率は、稚魚放流よりも圧倒的に高い。放流に頼らない資源増大が可能ならば、それ以上のことはない。こうした増殖活動の動きは全国的に盛

んになりつつある。

新緑の五月、本谷毛ばり釣り専用区へ出かけ、岸際の緩い流れを観察していると、たくさんのヤマメやイワナの稚魚の姿を確認できた。ヤマメは体の大きなものを先頭に群れを作り、上流に頭を向けて一生懸命に泳いでいる。その下流側では、金色に輝くイワナの稚魚たちが点々と目に入る。野生のイワナの稚魚は群れることを好まない。一尾一尾が一定の間隔を取って、個を主張するようになわばりを形成している。ヤマメとイワナの個性は、こんなに小さなときから発揮されていることに、少なからず驚かされる。私たちの作った人工産卵床も少しは役立った気がして、とても嬉しかった。

本格的な春を迎え、自然界では新しい生命が次々に誕生している。それは毎年粛々と繰り返される自然の営みであり摂理でもある。私たちも自然界の一員であることを忘れずに、ありふれた日常の大切さに感謝したい。

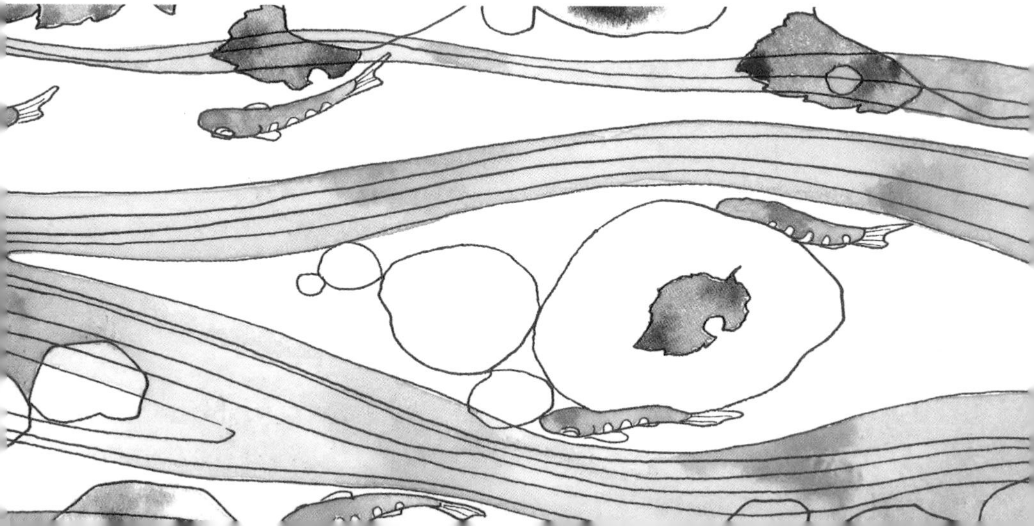

水底からの風景

子供の頃から水遊びが大好きだった。魚釣りを覚える前に、水辺の石をひっくり返してそこに住む生きものに見入ったり、そっと指先で触れては胸をときめかせていた。

カエルやイモリなどの両生類、そしてゲンゴロウやミズカマキリなどの水生昆虫は、子供心にとって魅力的な存在だった。いつしか水辺に手足を浸すだけではもの足りなくなり、水のきれいな川で泳いだり潜ったり、体全体で水と親しむことを覚えた。

ときには急流に巻き込まれ、幾度となく恐ろしい目にも遭ったが、魚たちを追いかけ、

素手で捕らえる楽しみには代えられなかった。水中で繰り広げる生きものたちとのスキンシップは、あまりにも刺激的だったのである。

そして深淵の底から見上げる風景は、特別に美しかった。ユラユラ揺れる水面のスクリーンに映し出される小魚の群れ、背景に広がる青空と森の緑。そこには陸上ではけっして見ることのできない魅力的な風景があった。

渓流釣りを本格的に始めてからは、さすがに冷たい水と神秘的な雰囲気におそれをなし、気軽に飛び込むことはしなくなった。それでも盛夏の源流釣行時、泊まり込みで深山に入るときには、周囲の安全をよく見極めてから、流れの緩い淵を選んで飛び込んだ。水の冷たさに心臓が止まりそうだったが、汗と暑さと虫よけクリームでベトベトに汚れた肌は、たとえ一瞬でも水に浸かることを欲した。アブやブヨに刺された痕も、冷たい水が鎮《しず》めてくれた。

ある年の夏、秋田県の森吉山から流れる阿仁川支流の源流部を訪れたとき、野営場所に選んだ高台の下に広がる大きな淵で水浴した。水中に潜ると、谷間に鳴り響いていたヒグラシの合唱がぷつんと消え、いきなり沈黙の世界に包まれる。２ｍほど潜ったところで頭上に目をやると、大きなイワナが水面近くに浮かんでいるのが見えた。私のことなど少しも気にせず、胸びれを左右に思い切り広げ、ときおりエサを捕るような動きをしている。幼い日に見た水面のスクリーンがよみがえり、水や自然との不思議な一体感を覚えた。空の青さと森の緑は、くらくらするほど眩しかった。

水底からの風景は、今もなお私の心に生きている。幻想的なイメージはたとえようもなくて、私はいまだにそれを言葉にすることができない。

From the bottom

アメンボ

池や川のほとりで、水面をスイスイと走るアメンボを見るのが好きだった。どうしてこんなふうに水面に浮かんでいられるのか、羨ましく不思議でならなかった。

細長く華奢な６本の脚が絶妙に水表面をとらえているが､推進力に利用しているのは真ん中の２本だ。これをオールのように動かして進む。水があればどこにでもいる身近な昆虫だが、似ている虫も思い浮かばず、カタチも動きも特別な生きものに思えた。

アメンボがカメムシの一族であることを知ったのは、フライフィッシングを覚えて、水生昆虫の世界に興味を持ち始めてからだった。平野部の水田地帯などでよく見られるミズカマキリやタイコウチ、タガメなどもカメムシの仲間だ。近縁種は身近なところにたくさんいたのである。

カメムシといえば、身の危険を感じると悪臭を放つことで知られている。アメンボも同じような能力を備えているが、こちらはほんのり甘い香りを放つ。それが飴のような匂いであることから、アメンボと呼ばれるようになった。

さらに興味深いのは、その匂いにはある種の防衛物質が含まれていて、魚に捕食されることを防いでいるらしい。確かにアメンボを好んで捕食している魚を見たことがない。偶発的に捕食されることはあっても、偏食している魚に出会ったことはない。匂いによる防衛機能が十分に発揮されているのだろう。

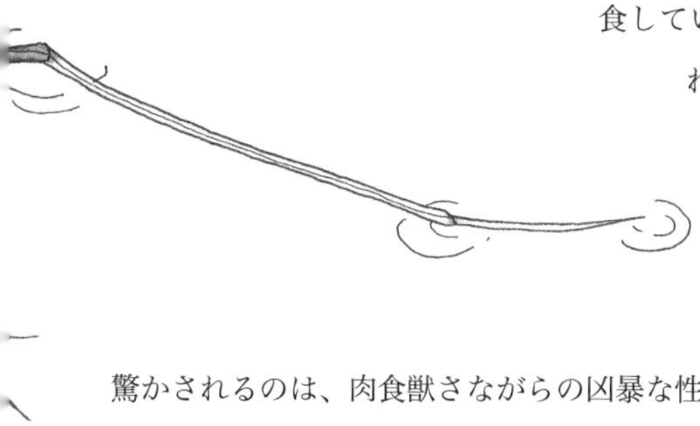

アメンボの動きを観察して最も驚かされるのは、肉食獣さながらの凶暴な性質である。アメンボは水面に落下した生きものが発する震動波を感知して素早く襲いかかる。小さな獲物へは単独で、大きな獲物に対しては集団で取り囲み、先端が鋭く尖《とが》った口器で突き刺す。

突き刺すと同時に消化液が獲物の体内に注入され、それによってドロドロに溶かされた体液を吸引するのだ。水辺に横たわった魚の死骸などに無数のアメンボが集まり、体液を吸っている場面をよく見かける。残酷な光景に見えるが、自然界には必要不可欠な存在なのである。

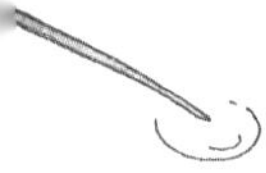

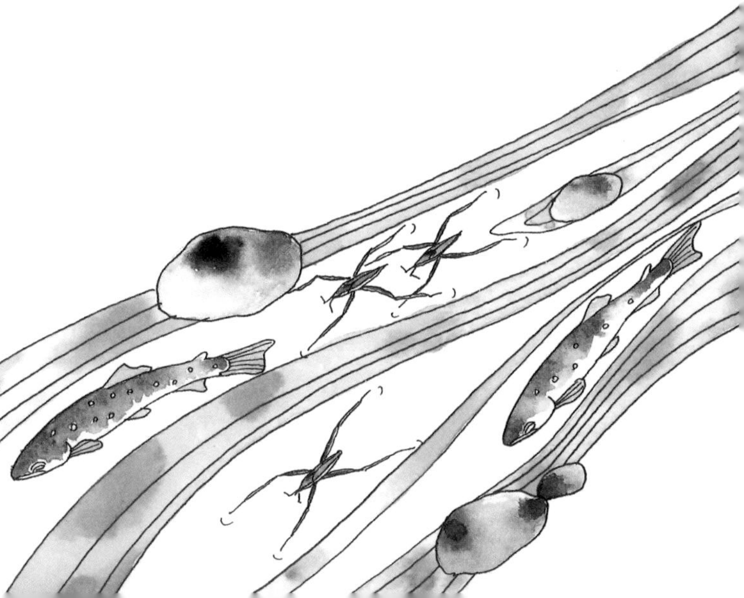

水中撮影の楽しみ

渓流釣りに出かけ、澄みきった流れを眺めていると、そこに棲む様々な生きものが見えてくる。するとそれを記録に残したくなるのは、職業柄しかたないことだ。釣れた渓魚の一瞬の動きをとらえたり、いろいろな水生昆虫が羽化する瞬間を撮ることはとても楽しい。

そんなとき手軽に持ち運べて、水を気にせず撮影できるカメラがあれば、どんなに便利だろうといつも思っていた。ところが防水機能を備えたカメラというと、以前は選択肢がほとんどなかった。ダイビングをする人たちが使う水中撮影専用の重装備を山の中へ持ち運ぶのは不可能で現実的ではない。安価で防水機能を備えたカメラもあるにはあったが、精度という点であらゆる点が不十分で、オモチャの域を出ないものだった。使える機種は高価なものに限られ、画角的にも不十分で、慣れるまでにかなりの経験が必要だった。

水中撮影ではピントの合わせ方や適正露出の決め方が、水の濁りや動きによる屈折率の変化などの影響を受けやすく、思うようにいかないことがよくある。そのため撮影の精度が低くなり、枚数を撮ることで成功確率を上げなければならない。銀塩フィルムは36枚までに限られていたし、防水カメラといえどもフィルム交換は水中では行えない。手軽な撮影とはほど遠い労力が必要だったのである。

それが今、カメラはデジタルが主流になり、撮影コストはフィルム時代とは比較にならないほど低くなった。カメラの所有率は飛躍的に高まり、携帯電話に付属するカメラを含めれば、ほとんどの人たちが自分のカメラを所持する時代になった。そうなると、さまざまな機能に特化した製品も出てくる。今や防水・防塵機能は当たり前だ。大容量の記録メディアを用意すれば、枚数を気にする必要もまったくない。

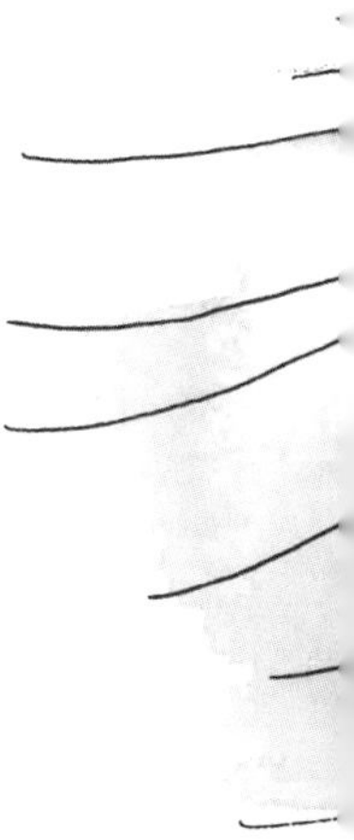

現在の防水機能付きのコンデジ（コンパクト・デジタルカメラ）なら、ピントや露出の精度にだけでなく、十分な解像力のある画質に改善されている。一般的なデジタルカメラに比べると、需要が少ないぶんだけ性能の向上が遅れ気味なのは仕方ない。水辺に遊ぶ機会の多い人た

ちにとっては、水中撮影が身近になり、新しい楽しみが
増えたことは確かである。

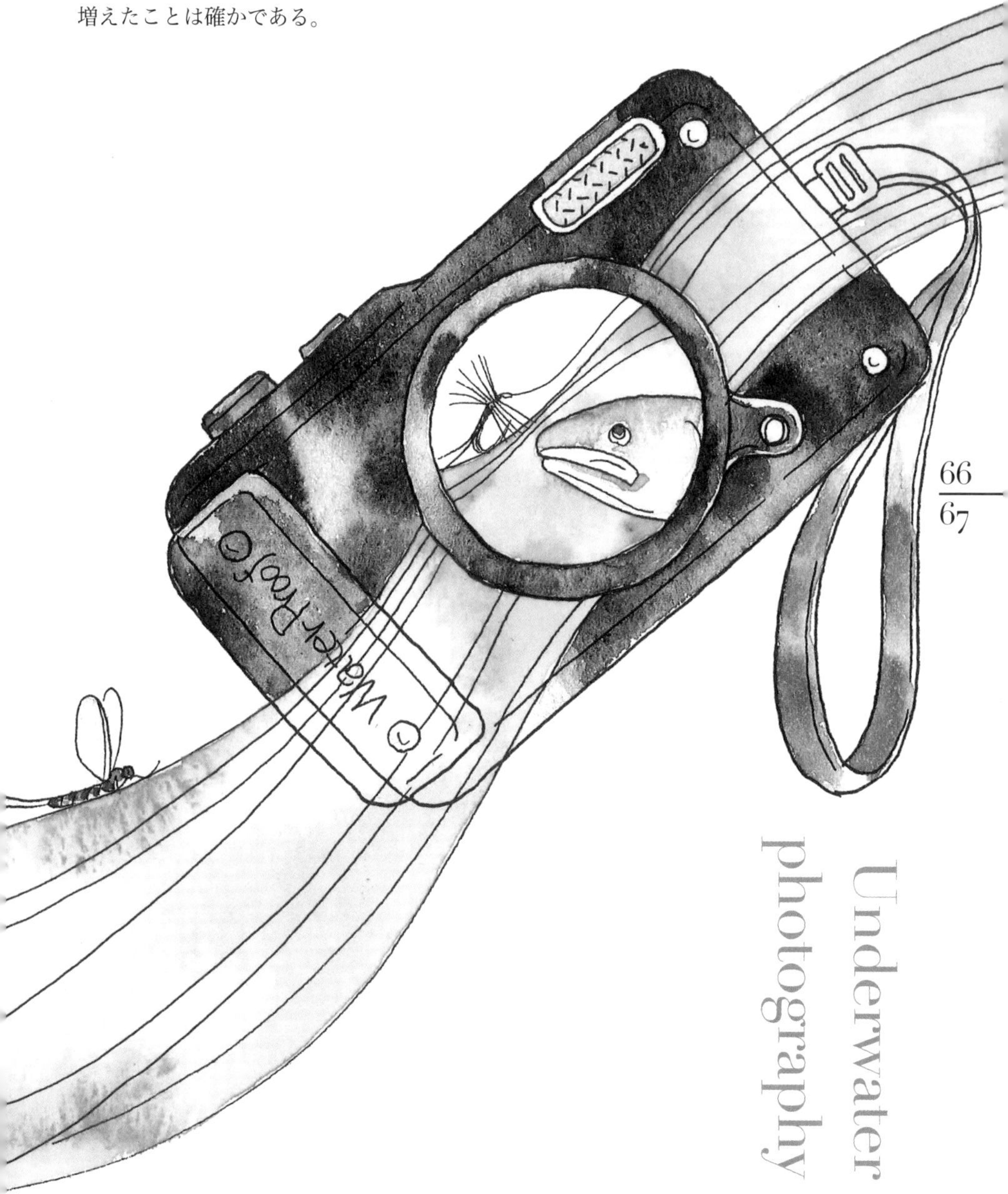

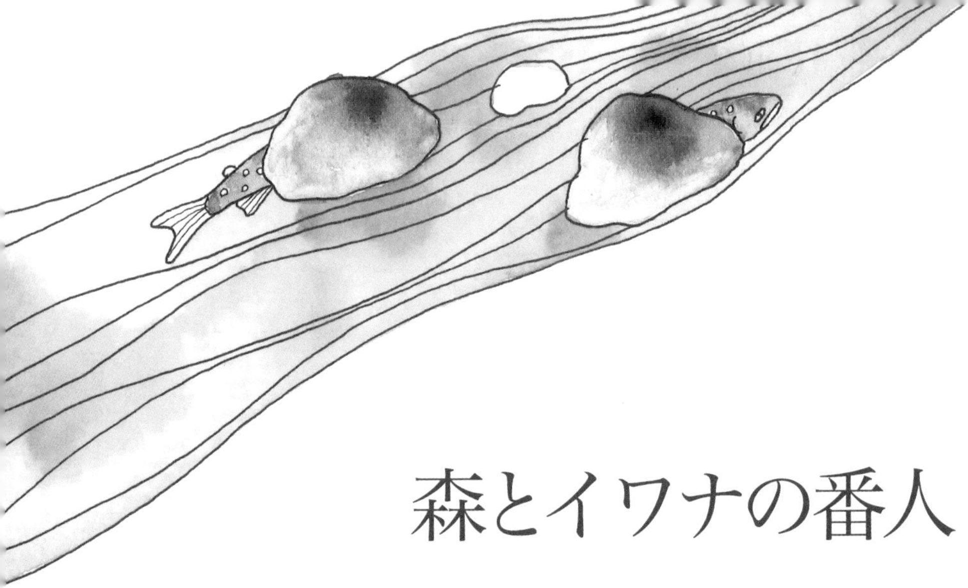

森とイワナの番人

北海道南西部、渡島半島の一帯には、豊かなブナやミズナラの森が広がり、その風景は利根川源流や東北地方の山奥に広がる豊饒な森林地帯とよく似ている。富良野や帯広あたりの雄大な景色とはまったく別の世界が展開するが、森と川の豊かさという点では、道南方面が勝っている。川の豊かさを象徴するのが、イワナの豊富な資源量である。海へ降りて急成長する降海型（アメマス）も多く、イワナ釣りのフィールドとして国内随一のクオリティを有している。

けれども北海道には、イワナたちを守るような特別な法規があるわけではない。それどころか、サケ・マスといった経済的な価値が高い魚たちの稚魚を捕食する害魚として、駆除の対象にされていた地域さえある。釣りの対象魚としてもヤマメほどの人気はなく、大切にされている雰囲気は感じられない。

そんなイワナたちだが、彼らの棲息域の核心部には強面の番人が同居している。それは“山親父”と呼ばれるヒグマである。

イワナたちにとって最大の天敵は、いうまでもなく私たち人間である。その人間が素手ではとても立ち向かえないのが国内最強の猛獣、ヒグマなのだ。

ヒグマは想像以上に人間の近くで暮らしているが、彼らがそこにいる限り“聖地”が失われることはない。聖地と人間界の境界線は曖昧だが、人間の心の片隅にヒグマへの畏れがある限り、行動が制御される。

とはいえ、聖地に棲むイワナたちを求めて分け入る釣り人たちも後を絶たない。私もその１人ではあることを認めざるをえないが、道南への旅を年に一度の聖地巡礼と位置付け、体力の続く限り訪れたいと思っている。

もちろん、単独で深山へ入るようなことはしない。常に地元の山慣れた友人たちと複数で行動しながら、考えられる回避策のすべてを施し、節度ある行動を取ることを心がけている。実際には彼らの邸宅の玄関先あたりにお邪魔するだけで精一杯だが、それだけでも素晴らしい野生を体感できる。

気力と体力がボロボロになるまで道南の山中を歩き回れば、自然との一体感を得られる。道南の森とイワナたち、そしてその番人に対して、私は常に敬意の念を抱いている。

River keeper

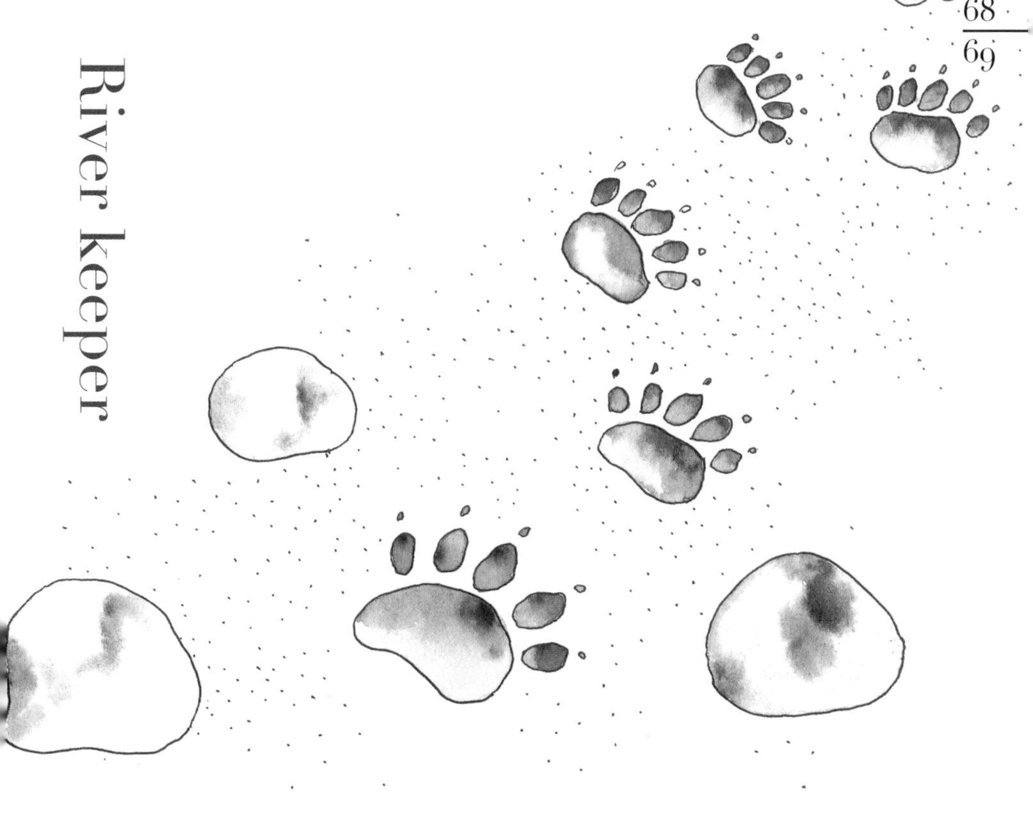

ヤマカガシ

渓流釣りにヘビはつきものだ。水辺にはカエルや小ネズミなどの小動物が集まるので、ヘビにとっては格好のエサ場となる。なかでも派手な色調でよく目立つのがヤマカガシだ。普段はおとなしいヘビだが、不用意に手を出すと体をグッと引き締め、首のあたりを広げて威嚇のポーズをとる。本州ではごく普通に見られるが、マムシと同じく立派な毒ヘビである。マムシの毒牙は上顎の前方にあるが、ヤマカガシの毒牙は後方にあるので、ガップリ深く咬まれないかぎり、人間に毒液が注入される確率は低い。そのため、長いあいだ無毒と信じられてきた。

ところが1972年に起こった死亡事故がきっかけとなり、ヤマカガシは毒ヘビと認識されるようになった。しかし現在でもその情報が社会の隅々まで行き届いているとは思えない。地方へ行けば行くほど、無毒と思っている人が多いように感じられる。私自身、ヤマカガシを毒ヘビだと知ったのは20年くらい前だ。それまで、毒ヘビはマムシだけだと信じていたから、少年時代にはずいぶん無茶をした。つかんだり、腕に巻き付けたり、恐れを知らずに弄んだ記憶もあるが、今思うと恐ろしく危険な行為をしていたの

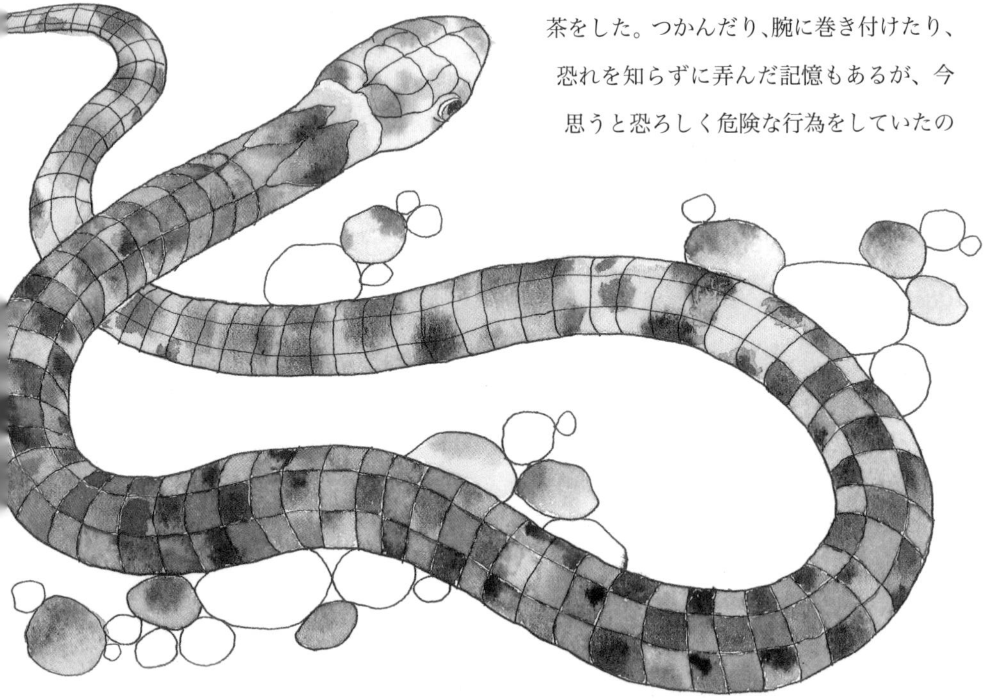

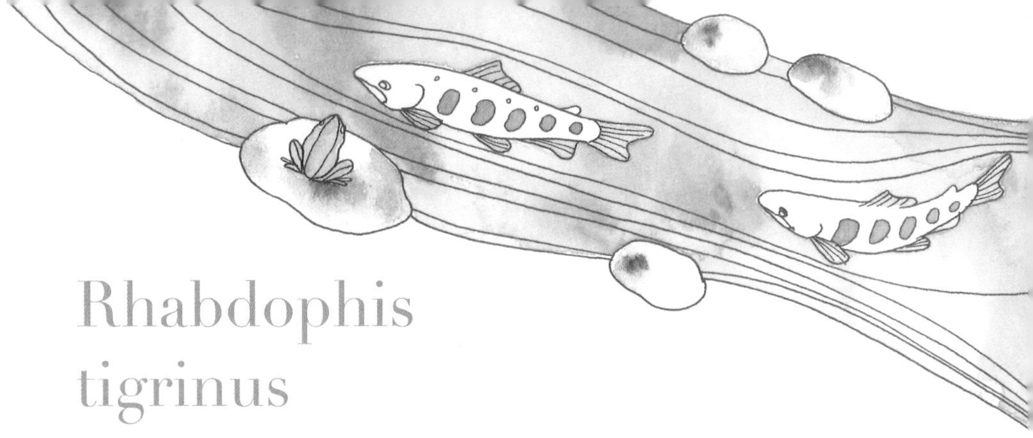

Rhabdophis tigrinus

だと猛省している。

日本国内の陸上に棲む毒ヘビは、マムシ、ヤマカガシ、そして南西諸島に棲息するハブの３種だ。このうち毒の強さではヤマカガシが最強で、マムシの３倍、ハブの10倍もの強い毒を有する。この比較からも、最も危険な毒ヘビであることを認識すべきだ。さらにヤマカガシは、毒牙から出る毒とは別種の毒を、首のあたりから分泌する。これを飛ばして護身に役立てるのだ。この毒はそれほど強くないが、目に入ると最悪の場合失明する程度の威力はある。しかもこの毒素は、自身のエサであるヒキガエルを利用して生成している。ヒキガエルは後頭部にある耳線から、ブフォトキシンという毒液を出すことが知られている。ヤマカガシはヒキガエルを積極的に捕食することで、この毒素を体内に蓄積して活用するのだ。こうした点でも、絶対に触れてはいけないヘビであることが理解できる。

そういえば、ヤマカガシがヒキガエルに襲いかかる場面をよく目にする。顎の関節を外して、自分よりも重量のあるヒキガエルの足を咥え、ジワジワと飲み込もうとする。途中でヒキガエルがヤマカガシの攻撃を振り切り、逃走に成功することもあるが、凄絶な弱肉強食の世界を思い知らされるシーンだ。

生きものたちは、思わぬところで様々なつながりを持っている。むしろ、人間が気付いているつながりのほうが少ないのではないか。そう思うと、生きものたちの行動のひとつひとつが、とても新鮮で興味深く見えてくる。謙虚な姿勢で自然と対峙していきたいものである。

ハンミョウ

陽当たりの良い登山道や河原で、人間の進行方向の２、３ｍ先に舞い降りると、クルリと体を回転させ、こちらを振り向く昆虫がいる。歩調を早めると飛行距離も長くなり、ゆっくり歩けば、少し飛んで人を待つ。一定の距離を保ちながら先回りして着地し、振り向くといった動作を繰り返す不思議な虫……それがハンミョウだ。その習性から、古くから「ミチオシエ」（道教え）とも呼ばれている。

ハンミョウは体長２cm ほどの甲虫の仲間である。その背中は鮮やかな緑、青、朱、そして金色や紫などを絶妙に織り交ぜた美しい色彩をしている。タマムシと同様、こうした派手な色彩は、強い太陽光を反射して体温の上昇を防ぐ役割をしているらしい。

この鮮やかな色調が災いしてか、ハンミョウは毒を持つ昆虫と勘違いされてきた。まったくの無毒だが、「ツチハンミョウ」というまったく別の種類の昆虫がカンタリジンという強い毒素を持ち、毒薬の原料にもなっているからややこしい。分類上の言い回しが間違いの原因だが、ほとんどの人が混同しているように思う。そのため、問答無用で殺されてしまうことも多い。

ハンミョウはその巨大な牙から想像できるように、典型的な肉食昆虫である。アリなどの小さな昆虫に素早く襲いかかり、ムシャムシャとあっという間にたいらげる。

子どもの頃、地面に空いた巣穴に潜むハンミョウの幼虫を、細長い草やたこ糸を使って釣り上げた経験を持つ人も多いのではないだろうか。私もこの経験が先で、成虫との関係を知ったのは中学生になってからだった。成虫は動作

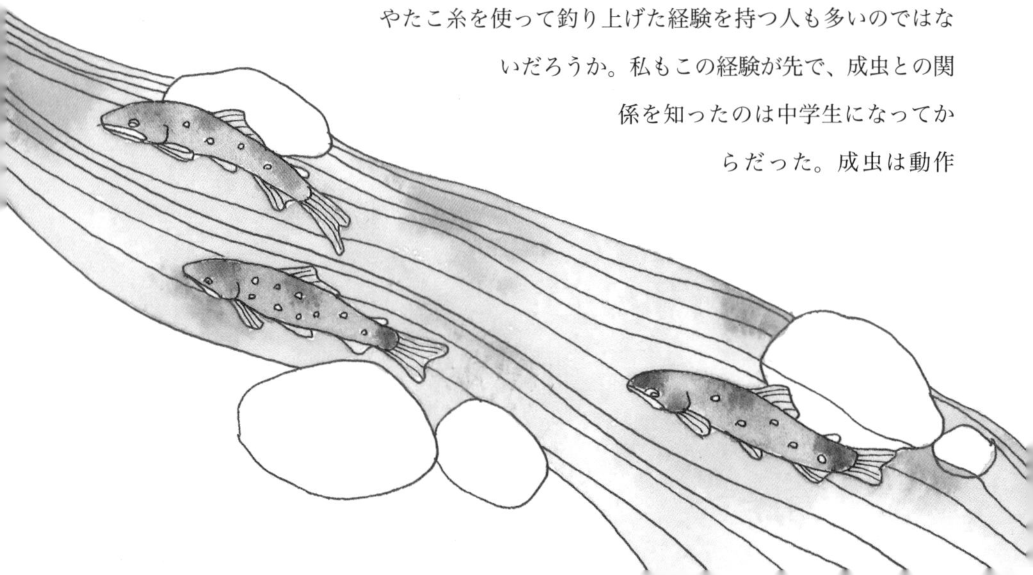

が素早く、手軽に手にとって観察することはできない。土の中で生活する幼虫の方が、なじみ深さという点では勝っている。

生息環境の整った山里へ出かければ、まだ目にする機会の多いハンミョウだが、いまでは私の住む群馬県ではレッドリスト、昆虫類コウチュウ目で絶滅危惧Ⅱ類（絶滅の危険が増大している種）に指定されている。以前は農家の庭先や畑の通路脇などに幼虫の巣穴が見られた。巣穴があれば、そう遠くないところで狩りをする成虫の姿を目撃できる。

私にとってハンミョウは、今も昔も夏の妖精のような存在である。

Cicindela
chinensis japonica

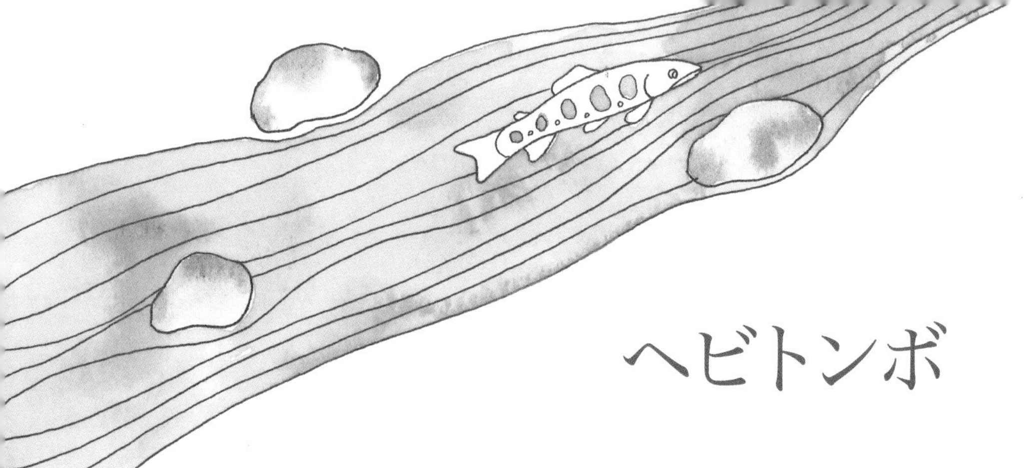

ヘビトンボ

渓流で水生昆虫の観察や採集をしているとき、採捕用の網に入ったヘビトンボの幼虫に驚かされた経験のある人は多いのではないだろうか。大きいものでは体長60mmを超え、橙色の頑丈な胸部と頭部を持ち、その先端には巨大な牙が備わっている。赤褐色の腹部の左右からは、腹節ごとに一対の肉質突起があり、それがムカデの脚のように見える。手に取ると器用に体を折り曲げ、牙を使った攻撃を試みる。その行動から容易に想像できるように、ヘビトンボの幼虫は完璧な肉食性だ。カゲロウやトビケラなど、他の水生昆虫類を襲って食べるプレデターとして、水生昆虫の王者に君臨しているのである。

ヘビトンボの幼虫は通称“孫太郎虫《まごたろうむし》”と呼ばれる。黒焼きにしたものは、日本固有の民間薬として利用されてきた。子供の神経疾患、例えば夜泣きや寝小便、あるいは疳《かん》の虫と呼ばれる症状に効能があるという。ちなみに、宮崎駿監督の映画「風の谷のナウシカ」に登場するいくつかの蟲《むし》の仲間は、どう見てもヘビトンボの幼虫や成虫をモデルにしている。

以前､秋田の渓でキャンプをしていたとき､何とも神秘的な場面に遭遇したことがある。夜中に目が覚め、テントから出て用を足していると、岸辺の広い範囲にザワザワした気配を感じた。恐る恐る近づいてみると、水中から岸辺に這い出てきた何十匹もの幼虫が、河原の石の下に次々と潜り込んでいく。後で分かったことだが、ヘビトンボの幼虫は陸地の石の下で蛹化することが分かった。その後、最終脱皮して成虫になるのだが、私が目撃したのは、蛹化のための集団移動の真っ最中だったのである。月明かりの下に蠢《うごめ》く集団移動の様子は、まるでホラー映画のワンシーンのように不気味だった。

成虫もまた巨大で、翅を広げると 100mm を超える。腹部を重たそうに下げ、バタバタと不器用にはばたく様子はおどろおどろしい。頭部の牙はそのままだが、成虫の食性はナラやクヌギ等の樹液を吸うベジタリアンに一転する。ちなみにヘビトンボは、オニヤンマやアカトンボなどの蜻蛉目の昆虫とは分類上まったく縁がない。広翅目ヘビトンボ科というマイナーなグループに属している。

ヘビトンボは幼虫も成虫も人間に危害を与えることはない。幼虫の鋭い牙はかなり強力だが、毒はないのでグッサリ噛まれても少し腫れる程度だ。そして大型の渓流魚にとって、ヘビトンボの幼虫はこのうえないご馳走になる。特に大きなイワナたちはこの虫を好んで捕食する。

水生昆虫類の食物連鎖の頂点に位置するヘビトンボは、河川環境の状態を表わす指標生物として重要な役割を果たしている。他の水生昆虫群が豊富でないと生きられない。裏を返せば、優れた水環境に依存して生活する脆弱な立場にある水生昆虫なのだ。凶暴な容姿で損をしているが、本当は愛すべき大切な生きものなのである。

あき

Autumn

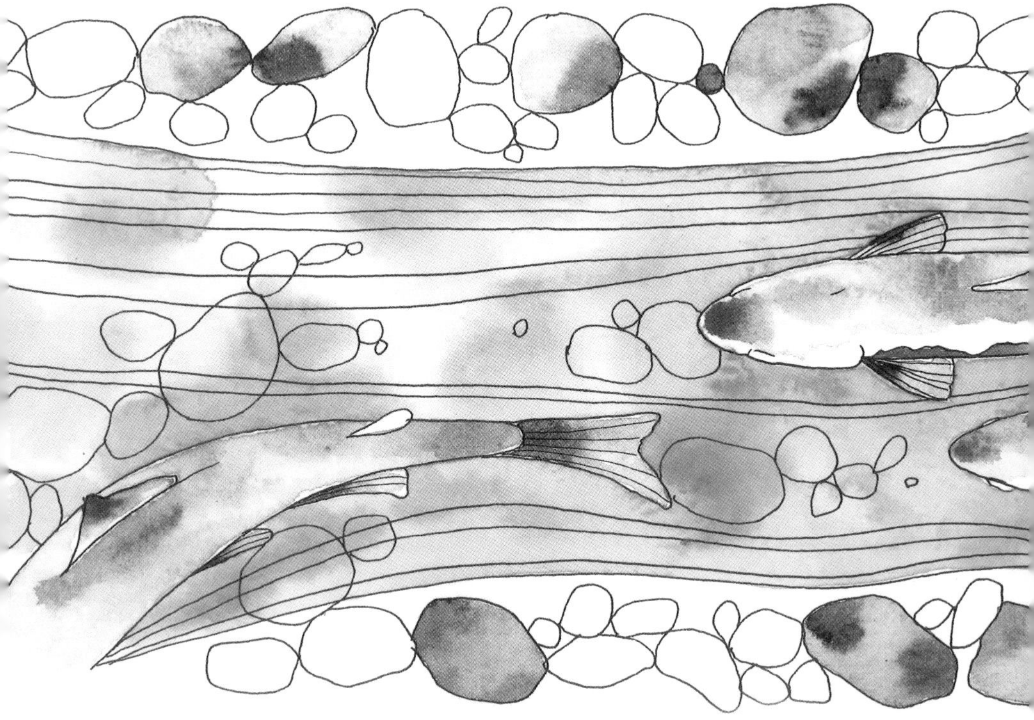

暑さのなごりが消えぬ日、山奥の渓流を歩くと、やけに水が冷たい。

森の木々が水面に長い影を落とす。

日が短くなった。

ヒグラシの声に送られて、いつもより遠く感じる帰り道。

気がつけば秋分を迎えていた。

渓魚たちの様子が忙しない。

そうだね、もうすぐ産卵だね。

紅葉が山を駆け下り、水辺に鮮やかな落葉の絨毯《じゅうたん》が広がる。

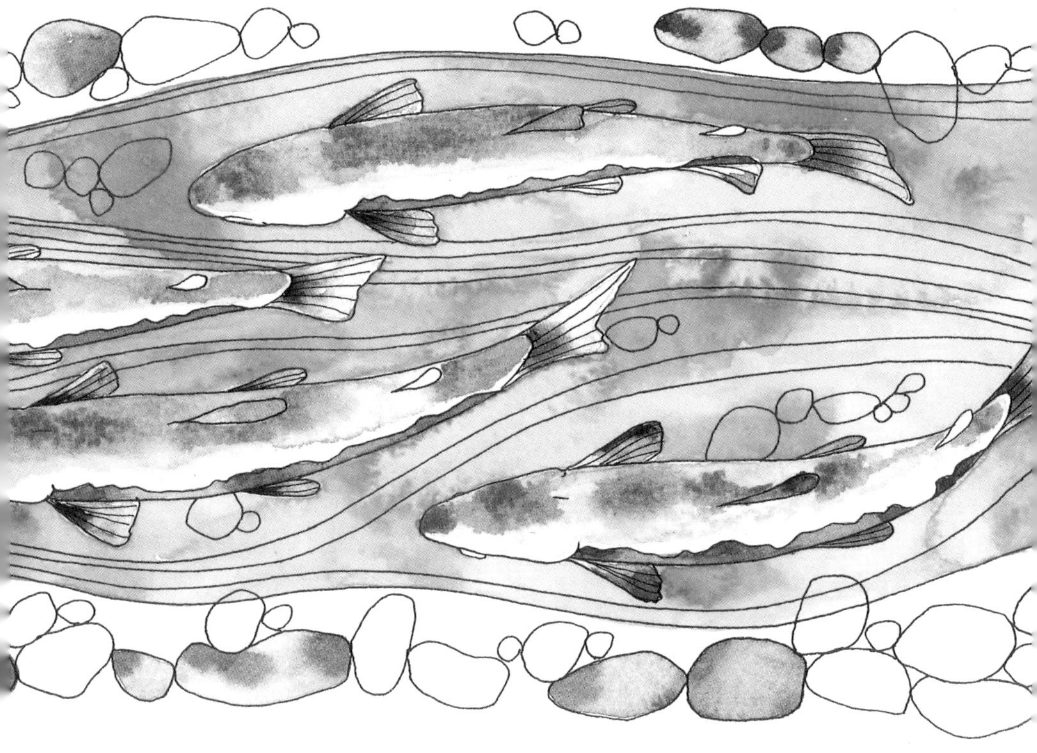

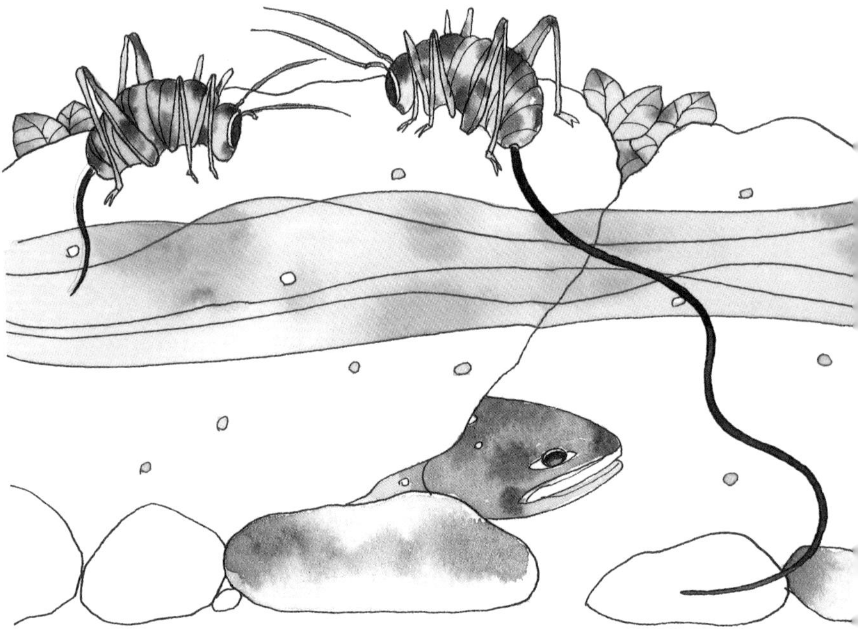

カマドウマとハリガネムシ

カマドウマという昆虫をご存知だろうか。異様に長い触覚と巨大な後肢、凝縮感のある卵型の身体に翅はない。頭部をグッと下げたところが、馬の首の曲線を連想させる。家屋の湿気の多い所を好み、台所やトイレ、風呂場、床下の周辺によく見られることから、カマドウマ（竈馬）と呼ばれるようになったという。俗称は「ベンジョコオロギ」、このほうがわかりやすいかもしれない。私も幼少の頃、そう教えられた。

人によっては、この昆虫が苦手で、嫌悪感を覚える人も多いようだ。本来は夜行性なので、日中に目にする機会はそれほど多くないのだが、薄暗いところから急に飛び出されて驚いたり、アンバランスな体型に違和感を覚えたり、時には人間にもぶつかってくるから、害虫扱いされたりもする。

しかし実際には、人間に危害を与えることはない。毒はなく、鋭い牙もない。動物の死骸や落ち葉、樹液など、何でも食べる雑食性の平和な昆虫なのである。むしろ、自然界に発生する様々なゴミの後始末をしてくれる分解者として、大切な役割を担っている。その風体から、家の中では邪魔者扱いされがちだが、森林内では自分の役割をせっせとこなす

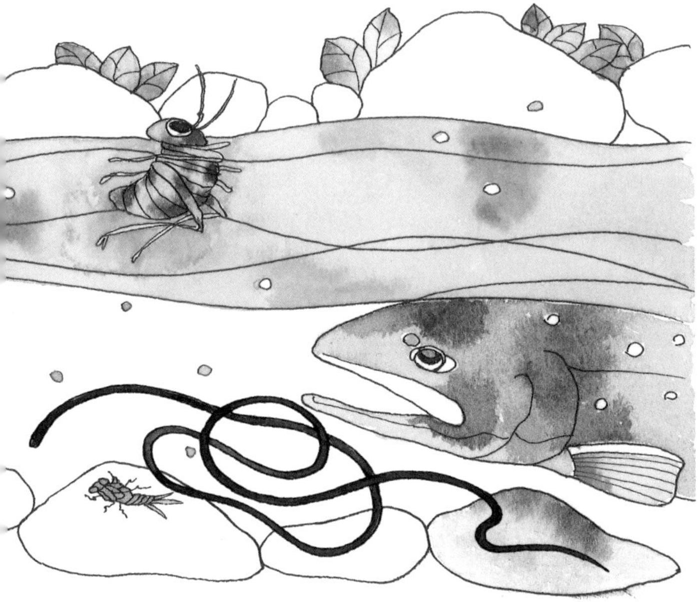

Horrible guest who eats host

勤勉な生きものなのである。

近年、カマドウマは森と川の生態系をつなぐ生きものとして脚光を浴びている。カマドウマ単独ではあまり意味を持たないが、カマドウマに寄生するハリガネムシという類線虫の仲間が関与して、「寄生者と宿主」の関係が築かれたとき、生態系への貢献度が一気に高まる。水生生物であるハリガネムシは、繁殖のため必ず水中へ戻らなければならない。このとき、ハリガネムシはカマドウマの体内で脱出の準備ができると、何らかの方法でカマドウマの脳を操作して水辺へ誘い出す。そして宿主の身体が水に触れると、宿主の体内からスルスルと抜け出して水中へと帰るのだ。ハリガネムシ脱出後のカマドウマはその場で水に溺れ、流れに巻き込まれる。その結果、イワナに捕食される。西日本のある渓流では、ハリガネムシが水辺へ誘い出す陸生昆虫類の割合が、イワナの年間総捕食量の最大60%を超えるケースもあることが、最近の研究でわかってきた。

カマドウマにとって、ハリガネムシの存在はたいへんな迷惑に違いない。自然界が仕組んだ巧妙な罠は、ときとして無慈悲で残酷な関係を構築する。

私たちの眼に触れないところで関わりあう生きものたち……自然の営みは神秘と謎に満ちている。

悪食《あくじき》

鏡のように静まりかえった川面をかすめて、ハラハラと力なく舞う白い蝶……すると突然、どこからともなく黒い影が忍び寄り、鋭くジャンプして白い蝶に襲いかかった。影の正体は体長30cmを優に超えるイワナだった。ところが勢いあまって的を外し、水面に大きな波紋を残して再び水中に消えていった。

蝶はバランスを崩して水面に落下しかけたが、何とか体勢を立て直した。驚いたのはその後のイワナの行動だった。水面近くを飛ぶ蝶の飛行経路をトレースするように、イワナが執拗に追尾していたのである。

やがて蝶は、水際から10cmほど離れた砂地に舞い降りた。まるで緊張を解きほぐすかのように、翅を閉じたり開いたり……。すっかり安心している様子だった。

ところが次の瞬間、蝶をめがけて水中からイワナが岸際の水中から躍り出た。身体を横にして蝶の翅に喰らいつき、水の中に引きずり込んだのである。その残酷な狩りの一部始終を観察しながら、イワナという魚の執念と知恵を知った。そして計算高く巧妙な行動に衝撃を受けた。

何年か前の7月のある日、利根川水系の有名河川の源流部へ出かけた。車止めから渓を約2時間歩いてから釣りはじめたが、あいにく先行者がいたらしく反応が悪い。昔の秘境も、今は釣り人銀座になり果てた。それでも昼までに何とか数尾のイワナが釣れて一安心。やはり故郷の渓はそう簡単に見捨てられない。

Snake eater

　そして最終目的地の滝壷で、妙に腹の膨れたイワナを釣った。写真を撮ろうと、ネットの中でイワナを静止させていると、何かが口からはみ出している。それは細長い未消化の物体で、イワナが呼吸をするたびにどんどん出てくる。最初は大きなムカデかと思った。さらに10cmほど吐き出したところで、その物体に網目状の鱗がついているのを確認できた。そして先端部をもう一度見ると……眼がある、口もある。

「あぁ、ヘビだ！」

　傍らにいた友人たちも駆け寄り、その現実に絶句した。何らかの理由で水面に落下したヘビを、このイワナは尻尾の方向から呑み込んだのである。ジムグリと思われるヘビの全長は、捕食者であるイワナより明らかに大きい。

　凄絶な格闘劇を想像しつつ、イワナという魚のミステリアスな一面を垣間見たような気がした。青黒い水を湛える滝壺にイワナをリリースした。イワナは大きく口を開くと左右に首を振り、やがてゆったりとした動作で水底へ消えていった。

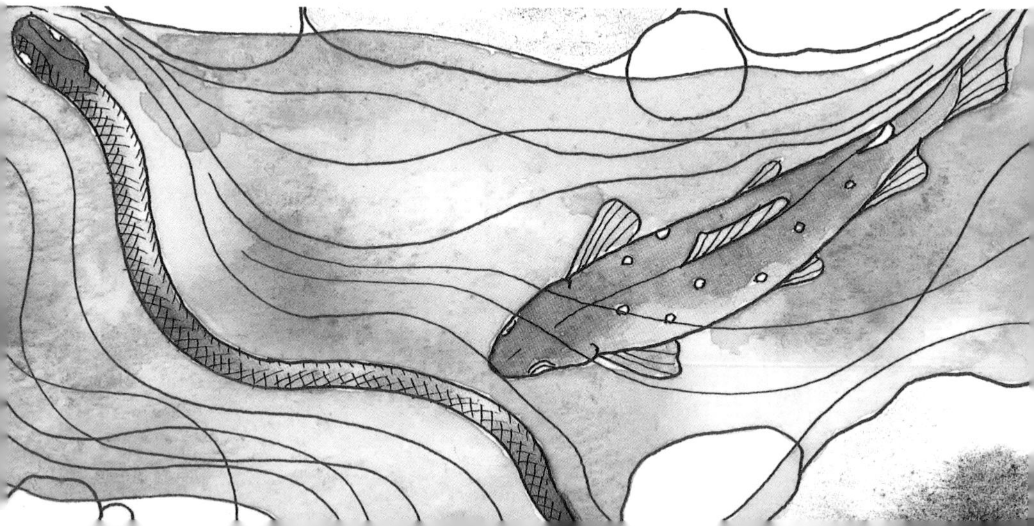

生命は巡る

中学時代は熱帯魚の飼育に熱中していた。

最初は比較的飼育が容易な胎生メダカの仲間、グッピーから飼い始め、やがてさまざまな種類の熱帯魚を繁殖させることに夢中になった。中学の３年間で、約30種類ほどの繁殖に成功しただろうか。小遣いのすべてはイトミミズなどの餌代に消え、休日は水槽の水替えで忙しかった。水槽の数は大小合わせて10台くらいあったと記憶している。ところが高校生になって渓流釣りを始めると、熱帯魚への情熱は意外にあっさり断ち切ることができた。森や渓流の自然と触れ合いながら、生物同士のつながりを理解するにつれ、飼育下における不自然な生命の更新や、水槽内の飼育行為そのものに矛盾を感じるようになったのだ。多感な年頃ゆえ、生命のつながりや尊さに清廉なイメージを描いていたのもしれない。

けれども、魚を増やすことに対する興味は、カタチを変えて引きずっていた。大学は水産学部、しかも水産増殖学科である。ここで私は渓流魚の遺伝的特性や地域個体群に関する勉強をした。秋には大学の研修所にある養魚場に住み込んで、イワナの採卵や人工授精を手伝ったりもした。

今では毎年秋になると、民間の養魚場や県の水産試験場へ出向いて、採卵や飼育の様子を見学するのを楽しみにしている。先日､嬬恋村で養鱒場を営む友人から「在来イワナの稚魚たちが浮上を始めたよ……」と連絡が入った。この養魚場では、天然魚の遺伝子保存を目的とした飼育も試みている。だからそんな話を聞くと、すぐにでも飛んで行きたくなる。いったいどんな表情をしたイワナの子供たちが、どんなふうに泳いでいるのか、それを早く見たくて仕方ないのだ。

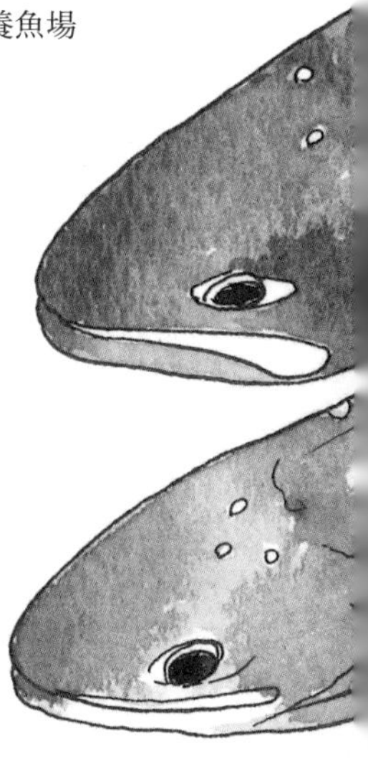

人口養殖や食料生産は大切だが、自然界にとって最も重要なのは、渓流魚の健全な自然再生産である。人の手で雌雄を選んで人工授精させることだけが、渓流魚を増やす方法ではない。自然環境を整えたり、しっかりした釣り場管理を行なえば、魚は自然に増えていく。それには産卵できる親魚を残して（釣

り切られないようにして)、魚たちが自力で産卵できる環境を整える必要がある。自然再生産可能な河川を増やしたい。そのためにはどんな協力も惜しまない。微力ではあるが、各地で芽生えつつあるそうした活動を、少しでも応援できればと考えている。

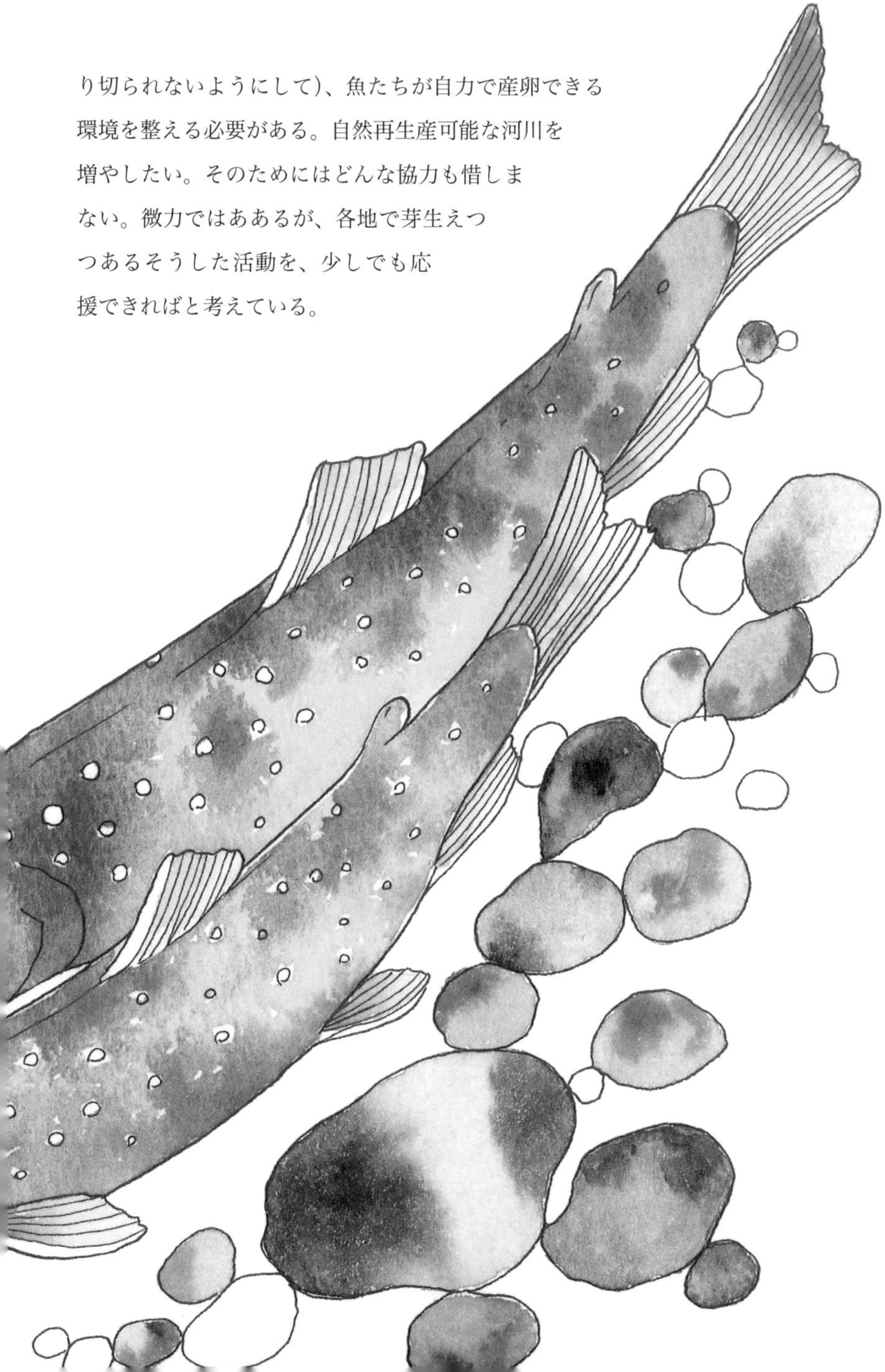

旅路の果て

岩手県の三陸海岸にある小さな港町で過ごした学生時代、サケはいつでも身近な存在だった。大学ではイワナの研究に没頭していたが、日常生活の興味や魅力という点において、サケはとても重要な魚だったのである。

11月後半になると、三陸海岸の各湾内へ流れ込むほとんどすべての川へサケが帰ってきた。小河川とはいえ、どこの川も水底が真っ黒に見えるほどたくさんのサケが帰ってきた。もちろん採捕は禁じられていたが、大学の調査研究の対象になっていた川では、特別採捕許可を得て、サケを捕獲する機会があった。簗《やな》で遡上を止められたサケを追いかけ、手づかみにするのである。その後、サイズの計測や体重を測ったり、卵や精子を絞って人工授精したり、試験研究のお手伝いをした。ご褒美に卵をたくさんもらえたので、塩や醤油に浸けてイクラを作る楽しみもあった。

大学卒業後、昭和54年に故郷の群馬へ帰ってきた。その頃の利根川はサケの姿が消えていたが、全国各地でカムバック・サーモンの気運が高まった時代でもあった。昭和58年、利根大堰を管理する水資源機構が、堰を通過するサケの遡上調査を開始した。

First and last home coming

それ以降、平成 13 年度までは数百尾程度、年によっては 100 尾を切ることもあったが、関係者の努力が実り、平成 14 年には 1000 尾を超えた。以降、遡上数は着々と増え、平成 23 年度は 11 月 23 日の時点でついに 1 万尾の大台を超えた (11224 尾)。調査終了日 (12 月 25 日) まで 1 ヶ月以上を残して、過去最高を記録した平成 21 年度の遡上実績を上回ったのである。東日本大震災の影響で、北日本の太平洋沿岸付近におけるサケの水揚げ高が少なかった点を考慮しても、期待以上の数字である。

利根川はサケが遡上する日本の川の南限といわれている。さらに日本国内で河口から 150km 以上サケが遡上するのは、石狩川、北上川、最上川、信濃川、そして利根川の５本だけである。約４年間もの年月を費やし、オホーツク海からベーリング海、そしてアラスカ湾を巡る長い旅路の果てに、ようやく辿りついた生まれ故郷。前橋市まで利根川を遡上するには、河口から 200 ｋｍ以上の距離を遡上しなければならない。過酷な旅をまっとうした選ばれた勇者たちに、心から賛辞の言葉を送りたい。そして利根川を遡上するサケたちを拝観できる幸福に感謝したい。

---

* その後も利根川へのサケの遡上数は右肩上がりで、平成 25 年度に 18696 尾を記録する。
ところが翌 26 年度、前年度の約半数ほどに激減。平成 23 年、稚魚が海へ下る時期に起こった東日本大震災の影響といわれている。
また、一部の釣り人は、「サケが釣れてもリリースすれば問題ない」との見解を持っているようだが、それは大きな誤り。採捕行為そのものが違反になるので、サケの遡上時期は、混獲が予想される釣りを行うべきではない。

九州の巨岩の渓へ

2013年9月、久しぶりに九州の釣り旅へ出かけた。なかでも久々の来訪となった宮崎県への旅は、たいへん思い出深いものになった。気力・体力が充実しているうちに、何としても行っておきたい渓を再訪できたからである。

そこは宮崎県北部の大崩山《おおくえやま》から流れ出す美しくも厳しい渓谷で、渓底には2階建ての住宅ほどの大きさがある巨岩がゴロゴロと転がっている。場所によっては左右の尾根が巨大な1枚岩でつながっている。豪快で壮大な景観は、この地域独特の美しさで、訪れる者たちを魅了する。

記録を辿ると、この渓には2000年の9月と2002年の6月に訪れていた。いずれも天候や水況に恵まれず、ヤマメを釣るのに苦戦した記憶がある。そして巨岩を登ったり下ったり、さらには難所の高巻きやトラバースが連続するため、強靭な足腰と体力が必要になる。それなのに当時の自分は体重増がたたってペースをつかめず、目的地まで到達できなかった。それがとても残念で、次に訪れたときには最上流を目指し、そこに棲む天然ヤマメの顔を拝みたいという夢をずっと抱き続けていたのである。

ところが入渓を予定していたのは9月16日。この年、東日本に大豪雨をもたらした台風18号が本州に上陸した日だった。台風の進路を気にしながら早朝から現地入り。九州は晴天だったが、台風の影響で山鳴りがするほど凄まじい強風が吹き荒れていた。とりあえず同行の長崎県在住の友人と中継地となる山小屋まで荷物を担ぎあげ、様子をみることにした。

翌日、空は見事に晴れ渡り、風もすっかりおさまって絶好の釣り日和となった。10年前よりも体重が8kg軽いのは、日頃の節制と自転車を日常の足にした鍛錬の成果である。その甲斐あって、過酷なアップダウンも難なくこなせた。予定よりも短時間で魚止めの滝に到着して、その後も余裕を持って行動できた。爽やかな秋空の下、この渓の素晴らしさと天然ヤマメたちを存分に堪能できたことが何よりもうれしかった。

年齢を重ねるほど、日頃の体調管理が大切になる。旅は心

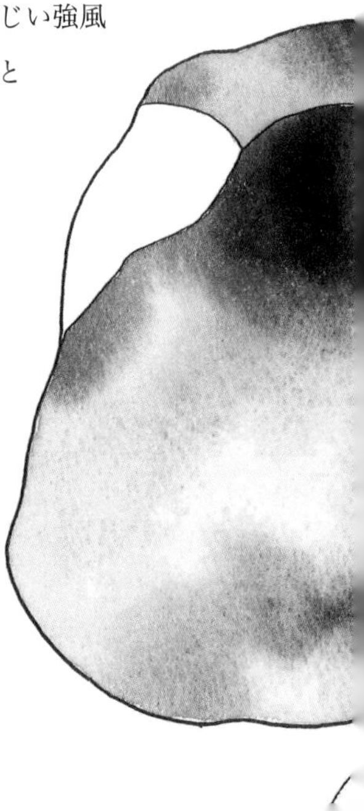

A river of giant rocks

身の健康があってこそ快適に楽しめる。九州の巨岩の渓への旅は、あらためて健康の大切さを教えてくれた。数年後にもう一度、時間に余裕を持って再訪するのが私のささやかな夢である。

ゴギはコギ

ゴギという魚がいる。一見すると群馬県内に生棲するニッコウイワナとよく似ているが、山陰地方の限られた水系だけに棲息する希少種だ。分類上はイワナの亜種とされ、頭部にくっきりと刻まれた斑紋が特徴である。

イワナの仲間といえば、人も通わぬ深山幽谷に棲むイメージを持たれる方が多いかもしれない。けれどもゴギは、農地の用水路や民家の庭先を流れる細流にも姿を見せる。穏やかな山々が連なる中国山地では、人々の生活圏に生棲域を広げないと、十分な子孫を残せない。成育に恵まれた環境とはいえないから、他のイワナの仲間のように、長生きすることも大きく成長することもできない。20cm に満たないまま、生涯を終える個体もいるが、キビキビとした動作で流れを走り回る様子はとても凛々しい。

2011 年の 5 月、4 年ぶりに島根県の出雲地方を訪れた。仕事で関西方面へ出張の機会があり、少々無理をしてでもゴギの顔を見たくなって、仁多郡奥出雲町まで足を伸ばしたのである。穏やかな山村風景が展開する奥出雲町周辺には、ゴギの棲息する渓流が数多く流れている。現地ではゴギとは発音せず、コの濁点を取って“コギ”と呼ぶ。推測ではあるが、もともとはコギと呼ぶのが主流だったのではないか。なぜならコギとは朝鮮語に由来する言葉で“肉”を意味するからだ。歴史的にも、奥出雲付近の山中には往時の製鉄所、鑪場《たたらば》の跡が多く残る。製鉄技術を伝えるため、大陸から渡ってきた人たちも多かったことだろう。そして鑪場付近の小さな流れに棲むコギを見つけ、重要な蛋

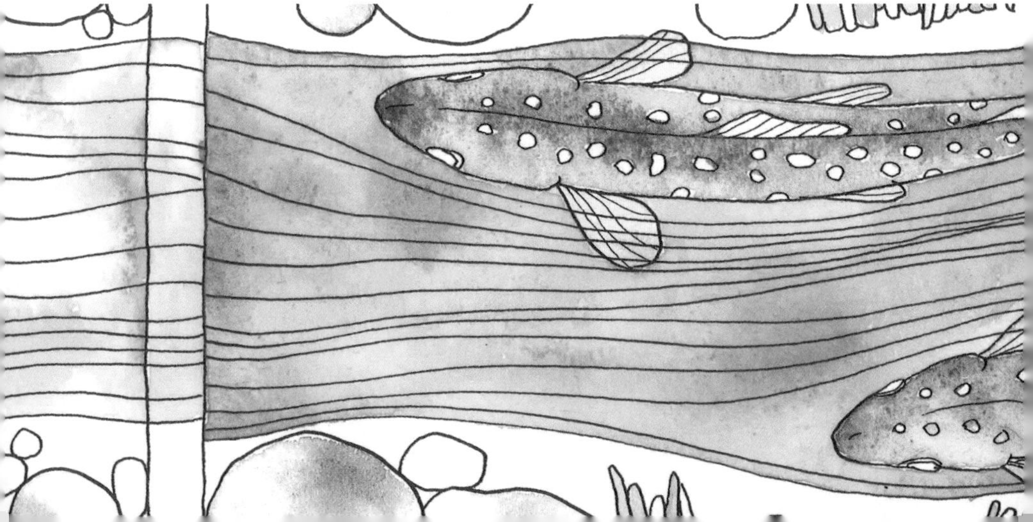

白源にしていたのかもしれない。

ところが近年、コギたちの生活が脅かされている。流域にはたくさんの堰堤が築かれ、河川改修で直線化した渓流も少なくない。また、コギの棲息域へのヤマメ放流も後を絶たない。敏捷《びんしょう》なヤマメにエサを奪われ、コギは不憫《ふびん》な状況に追い込まれるのである。

最近の遺伝子解析の研究では、コギの特異性を示す結果が出ている。イワナ属の進化を辿る意味でも、それはとても興味深い。国内のイワナはコギから進化したという説もある。

悠久の時を生きてきたコギたちに、神々は救いの手を差し伸べてくれるのだろうか。それ以前に私たち人間が何らかの策を考え、コギたちの生活を守る必要もあるだろう。そうすることはコギに対するせめてもの償いであるだけでなく、神々に対する人間の責任であるようにも思う。

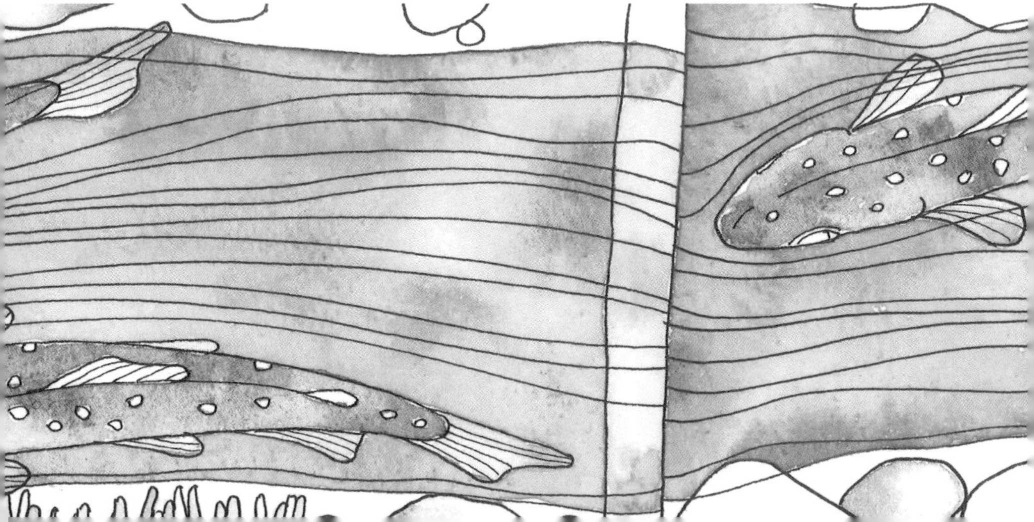

鉄砲水

奥利根の渓を釣り歩いていた頃、地元の人たちと会話をする度に必ず話題に出てくるのが「ねこまくり *」のことだった。集中豪雨などで河川の水位が急激に上昇する現象は「鉄砲水」と呼ばれるが、奥利根方面ではこれをねこまくりと呼び、畏れてきた。夏季に雷雨の多い土地柄ゆえ、規模の大小に関わらず、突発的な増水が発生する機会が多かったのだろう。渓へ向かう途中､山仕事の人たちに出会うと｢今日は夕立が来るぞ、ねこまくりに気いつけろ！」と声を掛けられたものである。

そうした注意を喚起する言葉を心にとどめていたおかげで、悪天候の中、早めに渓から脱出して事なきを得たこともある。安全に行動するためには、地元の人たちからの情報ほどありがたいものはない。誰もが自分だけは不運や危険を回避できると思いがちだが、鉄砲水という現象は想像以上に頻繁に起こることを認識すべきだ。

近年、ゲリラ豪雨という言葉をよく耳にする。これは予測困難な局地的・突発的な豪雨を指しているが、渓流はゲリラ豪雨の影響を最も受けやすいエリアである。渓流に出かける際、流域付近にある雨量観測所のデータをインターネットで調べてみる。すると、すべての観測所に降雨の記録はなく、ゼロが並んでいる。雨雲レーダーにも大きな雨雲は見当たらず、晴れの予報が出ている。これなら大丈夫ということで出かけると……渓はまるでココアのような色をした濁流が猛烈な勢いで流れている。到着直前に雨雲が発生して、突発的な雨が降ったとしても不思議ではないのだ。どんなに高性能なコンピューターをもってしても、明日の天気さえ正確に予報できない。激変する山の天気を予報まかせにするのは大きなリスクだ。

これは私の個人的な経験だが、鉄砲水には独特の前兆がある。それは匂いだ。臭覚は主観的な感覚なので例えが難しいが、泥の匂いと草刈り後の青臭い匂いが沢風に乗って

運ばれてくるのだ。人によっては腐葉土や落葉の匂いを感じるかもしれない。また、豪雨は源流部の雪渓を溶かすことがあり、場合によっては冷たい空気が運ばれてくる。そんな変化を感じ取ったら鉄砲水に要注意だ。頭上に青空が広がっていても、上流では何が起こっているか分からない。大気が不安定な状態では、少しの変化を見逃すことなく、気持ちを引き締めて行動するべきだ。

渓流釣りに天候の急変は日常茶飯事、いつも危険と背中合わせだ。鉄砲水や土石流、土砂崩れだけでなく、落石、転倒、滑落等々……危険要素を挙げたら数限りない。釣欲にかまけていては、見えるものも見えなくなる。常に自分がどんな状況に置かれているのかを冷静に判断して、想像力を働かせた柔軟な対応を心がけよう。

---

* ねこまくり（猫まくり）：押し寄せる水の波頭のカタチが猫の前脚に似ていることから……という説と、木の根っこを捲り上げるように押し流すからという説があるといわれている。

Flash flood

水辺の生命

子供の頃から、水辺はいつも遊び場だった。水に触れ、水を感じながら、そこに棲む生き物たちを追いかけることに情熱を燃やしてきた。情熱の延長線は途切れることなく、むしろ年を追うごとに明確さを増して、山岳地帯の渓流部を釣り歩き、渓の水辺で過ごす日々がいまだに続いている。

けれども、前橋市の平野部で生まれ育った私にとって、水辺の原点は利根川の河川敷から溢れ出す湧水や、水田地帯の用水路や溜池などにある。現在のように農地や河川敷が整備されていない時代、そうした水辺はまさに生き物たちの宝庫だった。そこで私はメダカをすくい、小ブナやクチボソを釣り、トンボのヤゴや小さなエビを捕えることに夢中になった。ときには苔に足を滑らせて転倒したり、深みに足を踏み入れて溺れそうになったり、たくさんの危険とも遭遇した。また、捕らえた小魚や昆虫たちを家に持ち帰り飼育することで、生命の強さや脆さを知った。水とのつきあいの中で、自分の身を守る術や生命の重さや脆さについても学ぶことができたのである。

往時の水辺をもう一度訪れてみたいとは思うけれど、現在ではすべての場所が跡形もなく消え去っている。つまり、そこに棲んでいた生き物たちもすべて死に絶えたわけである。水辺そのものが消失してしまっては、生き物たちの復活もありえない。それがとても残念だ。

Tiny Lives in the water

そんな折、10数年前から群馬県藤岡市の天然記念物に指定されているヤリタナゴの保護活動のお手伝いをさせていただいている。そのことがきっかけで、平野部の水辺を探索することに再び興味を持ち、懐かしい生き物たちと対面する機会が増えた。これからは、そうした出会いを大切に、そんな小さな生き物たちを撮影していこうと思っている。

平野部の水辺は、常に人間の生活圏と接したところにある。そこは住宅地や農地とつながり、排水や農薬の影響を常に受けている。それだけに、開発や整備事業の犠牲にされ続けてきたのだ。しかし水辺の生き物たちは、私たちと共に生きてきた故郷の一員でもあることを忘れてはならない。

水辺は本来、子供たちの好奇心や探究心を刺激するワンダーランドでもあるべきところ。奇跡的に残されてきた環境を尊重して、自然や生物に配慮した対策が行なわれることを強く望みたい。

遠野の渓

岩手県遠野市を初めて訪れたのは、今から30年以上も前、1970年代のことだった。当時、太平洋を臨む三陸海岸の気仙郡（現大船渡市）で学生生活を送っていた私は、内陸の遠野方面にも大きな憧れを抱いていた。

地元の釣り雑誌や新聞の釣り欄には、市内を流れる猿ケ石川水系の渓流がよく紹介されていた。釣りの情報源などほとんどない時代にあって、渓流魚の楽園のような釣り場案内の記事を見せつけられると、妄想だけが先走ってしまう。

ところが、いざ遠野へ出かけてみると、山里の田畑の横をゆったり流れる小渓流が多く、深山幽谷というイメージとは無縁の場所が多かった。川底は黄色っぽい砂地で、大きな石があまりないためポイントを絞りづらい。岸際には背の高いアシやネコヤナギがびっしり生えて、渓の遡行の邪魔をする。しかも両岸をまたいでクモの巣が縦横無尽に張り巡らされ、釣りづらいこと甚だしい。

腕前が未熟だったこともあって、いつも期待したほどの釣果は得られなかった。それでも遠野の山里の風景は十分に魅力的だった。そしてそれから毎年のように通い詰めた。

遠野は民話の故郷である。柳田国男氏が遠野周辺にまつわる民話や伝承をまとめた「遠野物語」はあまりに有名だ。釣りの合間を縫って、遠野物語に登場する河童や座敷童子など、妖怪や怪談の舞台となった地区を探索したり、南部の曲がり家なども見て回った。1984年に開館した遠野地方の民族伝承を目的とした「伝承園」は、展示施設も数多くあって遠野物語の世界観を堪能することができる。釣りを半日休んでも、訪れる価値があると思う。

しばらく遠野へ足が遠のいていたが、最近は再び出かける機会が増えている。驚いたことに、遠野周辺の渓流釣り場のクオリティーは、私が学生の頃とあまり変わっていない。川の岸際に茂るアシとネコヤナギ、そして濃密なクモの巣が釣り人を寄せつけず、渓魚たちを守っているのだろう。

先日、大学時代に遠野を一緒に訪れていた友人から電話があった。なんと今、遠野に来ているというのだ。大学卒業以来、30数年ぶりの遠野を旅しながら、当時撮影した写真を手掛かりに、学生時代の足跡を辿っている最中だという。

Tono connection

途端に懐かしさがこみあげ、遠野が恋しくなった。一緒に釣りをした猿ヶ石川、昼飯に入った食堂、菓子パンを買った商店、古いガソリンスタンド、遊漁券を購入した店等々。たくさんの場面が頭の中を駆け巡った。

民話の故郷としての遠野は十分に魅力的だが、私にとっては人生の思い出が散りばめられた地として、記憶の中に埋もれることなく息づいている。

釣り旅の思い出は永遠に消え去ることはない。

オオサンショウウオ

オオサンショウウオは世界最大の両生類といわれ、最大150cmにも達する。日本国内の生息地は岐阜県以西、近畿地方と中国地方の河川上流部が中心だが、四国と九州の一部からも確認の報告がある。日本固有種であり、特別天然記念物に指定される希少な生物のため、許可なく採捕や移動、飼育をすることはできない。

食性は典型的な肉食で、ときには自分の体長と同じくらいの魚を飲み込むことがある。これまで、生息地域の渓流に何度も足を運んだが、オオサンショウウオに出会うことはなかった。渓流釣りが目的だから、いくら興味があるとはいえ、どこにいるのか見当もつかない生きものを探し回る時間はないのだ。

生息地の近くに住む友人でさえ、目撃経験者のほうが少ない。展示施設を訪ねたこともあったが、飼育されているものは、どんなに大きくても生命力や迫力に欠けて元気がない。野生のオオサンショウウオを間近で目撃することは、長年の夢だった。

ところが先日、仕事で出かけた兵庫県神河町の市川で、幸運にも野生のオオサンショウウオに出会うことができた。市川は1年を通してニジマス釣りを楽しめる川で、地元の友人たちがC&R区間を設置して新しい釣り場作りを試みている。その日も地元の友人らと連れだって釣りに訪れたのだ。

そこで1mはありそうなオオサンショウウオを目撃したのである。しかもそれは、何げなく水辺に立った私の足元にいた。チャプチャプと水をかぶっていた赤茶色の大きな

Andrias japonicus

岩が一瞬動き、そして止まった。目を凝らしてのぞき込むと、それはオオサンショウウオの大きな頭だった。

逃げる気配はない。こんなとき、ほとんどの動物は目を見れば心理状態を察することができるのだが、オオサンショウウオの目は小さく、どこにあるのかわからない。どんな行動を取るべきかと、動揺したのはむしろこちらのほうだった。慌ててカメラを取り出してレンズを向けると、オオサンショウウオはそれを分かっていたかのように、ゆっくりと身体の向きを変え、水辺に沿って泳ぎだした。

そのまま水中へ消えてしまうのかと思いきや、意外にも２mほど下流でゆっくりと反転。態勢を整えるように頭を上流側に向けると、水底にピタリと止まった。こちらも気を取り直して深呼吸。全身がフレームに入りそうな角度へ回り込み、防水カメラを水中に入れてシャッターを切った。

それですべてが終わった。オオサンショウウオは再び動きだし、強い流れの中へ消えて行った。あっけなくも感動的な出合いだったが、みなぎる生気と野生の尊厳を十分に感じることができた。

ほんにょのある風景

10月になると、宮城県大崎市の鳴子温泉鬼首（おにこうべ）を流れる荒雄川へ出かける。荒雄川には2003年からキャッチ＆リリース区間が設置され、11月末までニジマスを対象とした釣りが楽しめるのだ。

この時期、川の周囲に広がる稲田は見事な黄金色に染まり、地元の農家の人たちは稲刈りに忙しい。最近では大型のコンバインを導入した収穫作業の効率化が進んでいるが、このあたりの田圃は素掘りの用水路が残っているくらいだから、幸運なことに通り一辺倒な圃場整備が行なわれていないのだ。そのおかげで美しい田圃の景観が保たれている。収穫作業も小型のバインダーや鎌を使った昔ながらの方法で行なわれ、その様子を見学するだけで安心する。こんな田圃で収穫されたお米の美味しさは、きっと特別なのだろう。

ところが、稲穂を自然乾燥する方法に、関東人は少々違和感を覚える。１本の杭を中心にして、その周囲を稲穂でぐるり取り囲むように積み重ねていくのだ。地元の人たちはこれを「ほんにょ」とか「ほにょ」と呼ぶ。以前、農作業をする地元のおばあちゃんに「これは何ていう干し方なんですか？」と尋ねたが、お返事を正確に文字にすることができず、気まずい思いをした。

この方法、一般的には「棒掛け」とか「杭掛け」と呼ばれている。宮城県北部から岩手県南部、山形県や秋田県などの平野部では、ごく普通に行われているらしい。ほんにょが立ち並ぶ風景は、まるで蓑を被った一本足の人形が整列しているように見える。ほんにょが広範囲に整然と並べられると、不思議なアートの世界に迷い込んだかのような錯覚を覚える。

関東辺りでは、木材や竹で柱を立て、そこに横木を渡して稲束をかける「稲架掛け（はさがけ、はせがけ）」が一般的だが、ほんにょのデザインは関東では見たことがない。稲穂を自然乾燥する方法も、気候や風土に応じて様々なのである。元々は日本海側の庄内方面で行なわれていた方法らしい。

ほんにょで自然乾燥され、太陽の光をいっぱいに浴びた稲から採れる米は、人工的に乾燥したものよりもアミノ酸や糖分を多く含むという。そして稲わらも重要な役割を担う。この地域が誇る国産牛「前沢牛」や「仙台黒毛和牛」に欠かせない良質な飼料になるのだ。そこには自然の恵みを巧みに利用した生産物の循環が見て取れる。

釣りに出かけて、そこで見かける何気ない風景にも、それぞれに意味がある。通りすがりの風景こそ、よりいっそうの輝きを放っているのだ。

群馬県産在来イワナ

イワナは河川最上流部に生息する魚である。冷たくきれいな水が命を支えるための最低条件なので、気候の変化と共に上へ上へと押し上げられ、今では源流部の限られた水域に隔離同然の生活を余儀なくされている個体群も多い。

閉鎖的な環境に暮らしているせいで、イワナたちは各地の水域ごとに独自の進化を遂げてきた。そのため、外見の違いで区別する分類学では、アメマス、ニッコウイワナ、ヤマトイワナ、ゴギ……といった４つの亜種に大別されている。ちなみに群馬県内に生息する利根川水系のイワナはすべてニッコウイワナ系とされている。また、近年目覚ましい進歩を続けるDNA解析によると、日本産イワナは2015年現在、60以上のハプロタイプ(半数型の遺伝子型)があることが分かってきた。

また、ダム建設や河川改修などの環境悪化、さらには一部の強欲な釣り人たちの乱獲等によって、イワナの資源量は年々減少している。それを補うために、各地で盛んに放流事業が行なわれている。その影響でイワナたちの血脈が乱れつつある事実も見逃せない。閉鎖的環境で細々と受け継がれてきた遺伝子も、異系群の放流で一瞬にして途絶えてしまうのである。

もともと地元の渓流に棲んでいるイワナ……すなわち在来イワナ（天然イワナ、在来種）は、棲息地の自然環境に適応しながら生命をつないできた。度重なる大規模な自然災害のみならず、最近の河川改修などで生息環境が危機にさらされても、在来種は逞し

く生き残る力を備えているのだ。

　ようやく各地の水産試験場でも、在来個体群の研究に着手するところが増えてきた。群馬県内では、過去の放流でイワナたちの血が混ざり合った河川が多く、在来種と特定できる個体群はそう簡単には見つけることができない。今後も県内各地の在来イワナを集めて、DNA 解析によって遺伝系統を探るだけでなく、イワナの資源量の増加に貢献できる研究を進めていただきたい。

地域固有の生物資源として、在来イワナは貴重な存在である。そしてこれからは、遺伝系統を根拠にした保護対策も考えていかなければならないだろう。

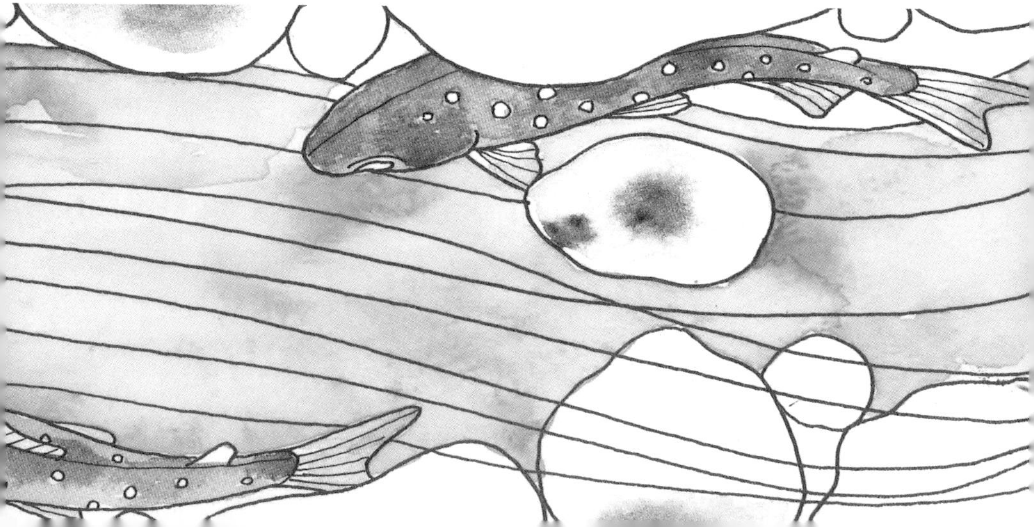

増えすぎたシカ

シカの個体数増加が全国各地で問題視されている。車との接触事故や衝突回避時に発生する交通事故は後を絶たない。秋の夜間は特に細心の注意が必要だ。また、交通事故だけでなく、吸血生物やウィルスの媒介にも関与し、その猛威は人命に影響を及ぼす次元にまで到達している。

シカの繁殖を抑制するのは、冬場のエサ不足や低温、大雪などの環境要因に加え、オオカミなど肉食動物による捕食といわれている。しかし温暖化で冬の厳しさが和らぎ、天敵のオオカミはとうの昔に絶滅した。

その一方、森林を伐採して自然林から人工林へ移行する過程で、草地が一時的に広がり、シカに絶好の生息環境を提供する事態が続いている。人間が自然界に与えた過剰な干渉や負荷が、シカの増加に拍車をかけたのである。

シカの増加は植生にも大きな変化を及ぼしてきた。好きなものを好きなだけ選んで食べる傾向があるため、希少植物が激減して絶滅に至る危険性が指摘されている。また、土壌を踏みつけたり落葉を食べたりすることで、植生全体を変化させ続けている。

シカには多くのヤマビルやマダニが寄生する。衰弱してそれらの害虫を体にたくさん付着させたシカが人里に降りて死亡した場合、そしてその現象が繰り返されるほど深刻な状況を招く。シカを介して侵入した害虫が、地域の人たちの健康や生命に大きな影響を与える危険性は高くなる一方だ。

ヤマビルは様々な感染症を媒介する恐れがあり、吸血された傷痕の治癒には、体質によっては長い期間を要することがある。昔から、新潟や山形の日本海側に広がる豪雪地帯のブナ林を流れる渓流へ出かければ、どんなに注意深く忌避対策を施しても必ず何ヶ所かは吸血された。ところが、他の

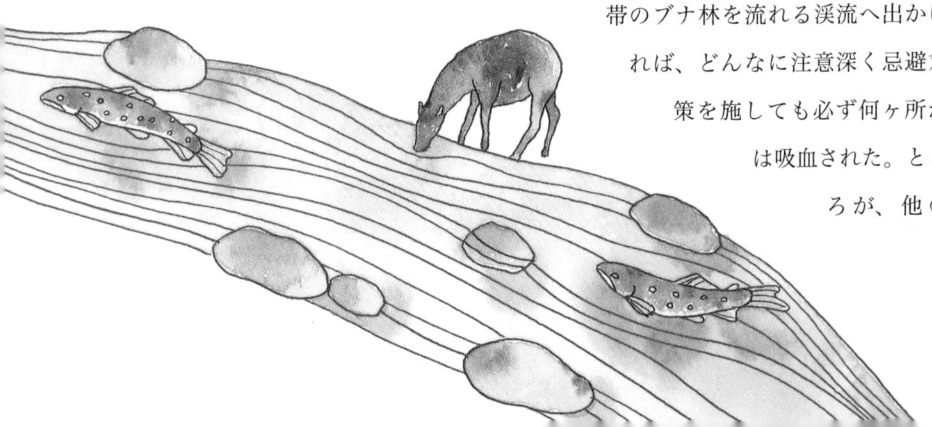

地域ではその姿を見ることさえ稀だった。ところがシカやイノシシなどの増えすぎた野生動物の拡散に伴って、ヤマビルの生息圏は一気に広まった。特に神奈川県の丹沢山地や房総半島の丘陵地帯などでは爆発的な増加が伝えられている。

マダニに刺されて発症するライム病は最悪の場合死に至る。シカはその原因菌を保菌する危険性が判明。最近では複数の死者が確認された。致死率10%以上ともいわれる感染症「重症熱性血小板減少症候群（ＳＦＴＳ）」もマダニが媒介する。さらにダニ媒介性脳炎等の感性症例も報告されている。もはやマダニは、昔から各地で恐れられている「ツツガムシ病」をもたらすツツガムシ以上の脅威になっている。

私自身、マダニには毎年のように刺咬被害に遭っている。活動期には着衣からの浸入を防ぐのは難しく、しっかりとした対策を施しても、完全には排除しきれない。

シカは優しく可愛らしいイメージがあり、古くから人間と関わりを持ってきた。万葉の歌人たちにも愛され、地域によっては神の使いである。自然界のバランスを保ちながら、共存共栄できる日が来ることを願ってやまない。

北海道の秋

毎年、10月中旬から下旬にかけて、北海道東部方面へ出かけている。滞在期間は仕事を絡めて10日間前後、もちろん主な目的は日高山脈を流れる川で釣りをすることだ。かれこれ10年ほど続けているが、年々その魅力は大きくなるばかり。どうしても外せない釣り旅になっている。

海外を釣り歩く旅に情熱を燃やしていた時代、どういうわけか北海道に惹かれることはなかった。「灯台下暗し」というが、国内に残された素晴らしいフィールドに注目するタイミングが遅かったのかもしれない。その遅れを取り戻そうと、ここ数年は北海道を訪れることに情熱を傾けている。

秋の北海道の素晴らしさは、紅葉に囲まれた開豁《かいかつ》な渓谷でフライフィッシングを楽しめることだ。対象魚は主にニジマスである。本州ではほとんどの川が9月いっぱいで禁漁期に入るが、それはヤマメやイワナなど渓流魚の産卵期を保護するための措置である。もちろん厳守しなければいけないルールだ。その一方、北海道のニジマスの場合、自然産卵が早春以降に行なわれることが多く、そもそも禁漁期が設定されている釣り場がほとんどない。

夏の間にエサをたっぷり食べたニジマスたちは、秋季に最も良いコンディションを迎える。たくましい体躯から繰り出される強烈なパワーは、釣り人を魅了してやまない。

北国の秋は冬に向かって一目散に駆けて行く。天候は目まぐるしく変化し、激しい雨

や強風がさらに冷たい空気を呼び込む。色づいた木の葉は木枯らしに引きちぎられて落下し、大地を埋め、川に流され、自然界を支える重要な栄養源になる。

落葉と同時に川へ大量に落下するのは、無数の陸生昆虫たちだ。カメムシ、テントウムシ、アワフキムシ、アブラムシの類、そしてバッタやコオロギ、ハチやアブの仲間に至るまで、ありとあらゆる虫たちが落葉と共に川へ流される。その種類、量、共に半端ではない。そして、それらはすべてマスたちのエサにもなる。

他の地方で１ケ月かけて起こることが、北海道では１週間ほどに凝縮されて起こる。自然界は無数の命を宿す母なる聖域だ。

劇的に変化する自然界の流れに身を置くだけでも素晴らしいが、フライフィッシングをプラスするだけで、充実度はよりいっそう高まる。

釣欲の落とし前

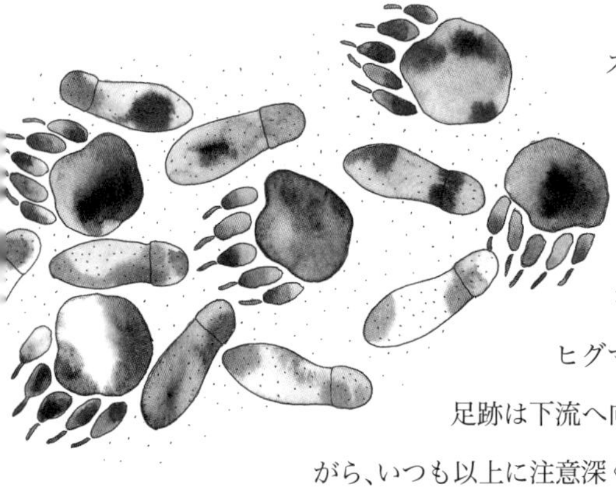

スマートフォンの電波は、車止めのゲート付近から途絶えていた。連絡手段は断たれ、この先で何か問題が生じても、自分一人で解決しなければならない。入渓地点の小さな沢の入口にある砂地で、大きな足跡を確認した。ヒグマの後ろ足だった。朝方ここを通過したらしい。足跡は下流へ向かっているように見えた。渓を釣り上がりながら、いつも以上に注意深く周囲に気を配っていた。砂場に足跡がないか、エゾニュウやフキの群落が不自然に踏み倒されていないか。木に登っている子熊はいないか。想定されるあらゆる事象を見逃すまいと、落ち着きと広い視界を維持しながら行動することを忘れなかった。

ところが思いのほか、ヒグマの痕跡は各所で確認できた。河原の石に残された濡れた足跡、フキの群生地には噛み切ったフキを敷き詰めた休憩場所が何ヶ所もあった。水辺のガレ場には根元から食いちぎられたエゾニュウの茎が散らかり、それで歯磨きでもしたのか、よだれでテカテカ光っていた。どんなに歩いても、谷筋のほぼ全域がヒグマたちの活動の場になっている。いったい何頭のヒグマがこの流域に暮らしているのだろう。すぐ目の前に現われても、まったく不思議に思えないほどだ。それなのに、もう少し釣り上がれば気配が消えるかもしれない。あと少しで恐怖から解放されるかもしれないと、ひたすら釣り上がった。結局、約5km上流にある魚止めの滝まで釣り上がった。

何とかして日没前に戻れなければ、たいへんなことになる。視界の片隅を走る影。反射的に目がそれを追いかける。ポキポキと小枝を踏みつける音、山の斜面の上の方から聞こえる唸り声……空耳だろうと思い込みながら、恐怖は倍、倍に膨れ上がっていく。深い森の中で感じる生きものたちの生気は、想像を絶するほど重くのしかかる。身体の疲労よりも、精神状態がきついのだ。渓流の5kmは長い。恐怖に慄《おのの》きながら、一人で来たことを後悔した。熊鈴も持っていなければ、ナタもない。熊スプレーもない丸腰で5kmは厳しい。

汗だくになって、ようやく朝の入渓点に到着した頃には、谷筋はすでに日影となって、川面にはうっすらと靄《もや》が漂っていた。空気はひんやりとして、吐く息が白い。河原の砂地はおびただしい数のヒグマの足跡で埋め尽くされ、私の足跡はきれいに踏みつぶされて跡形もなかった。傾いた陽射しが落葉松の森に鋭い陰影を描いていた。

「もう二度と一人で来ないぞ」

アクセルを踏み込み、最初の緩いカーブを曲がると、傾いた強い陽射しがフロントガラスを貫く。サンバイザーを下ろして、白くかすむ逆光の向こうに目をやると、林道をふさいで横たわる黒い大きな塊が目に入った。半開きにした口元から涎がしたたり、光を受けて鈍く光るのが見えた。

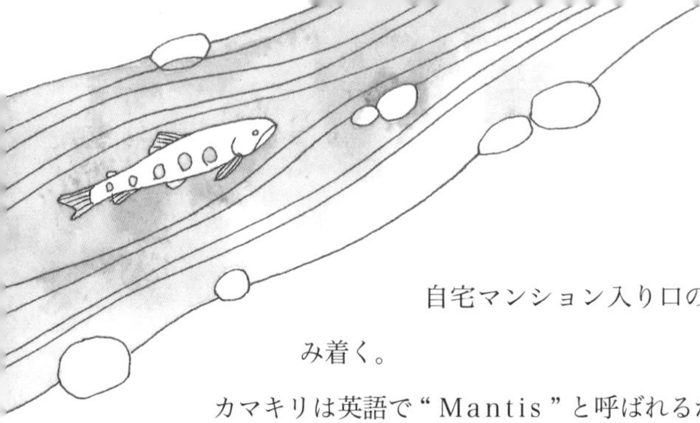

カマキリ

自宅マンション入り口の生け垣に、毎年オオカマキリが住み着く。

カマキリは英語で“Mantis”と呼ばれるが、これは「予言者」という意味があり、中世ヨーロッパやイスラム諸国では聖虫として崇《あが》められている。日本でもカマを構えた姿勢を指して「拝み虫」とか、「祈り虫」と呼ぶ地域がある。

情け容赦ない攻撃性を備えたカマキリは、昆虫界の暴君と称される。メスは交尾中に相手のオスを喰らう蛮行を演じる。度を過ぎた恐るべき習性は、人々に神秘性や畏敬の念を抱かせたのだろう。

また、カマキリの仲間はある種の予知能力を備えているといわれる。カマキリは泡状の物質をススキなどの茎や細い木枝に固着させ、その中に卵を産みつける。産卵後にメスは息絶え、生命のつながりを卵に託す。産みつけた位置で、冬の積雪の程度を推し量れるというのだ。高い位置ならば積雪量は多く、低ければ少ないとされる。

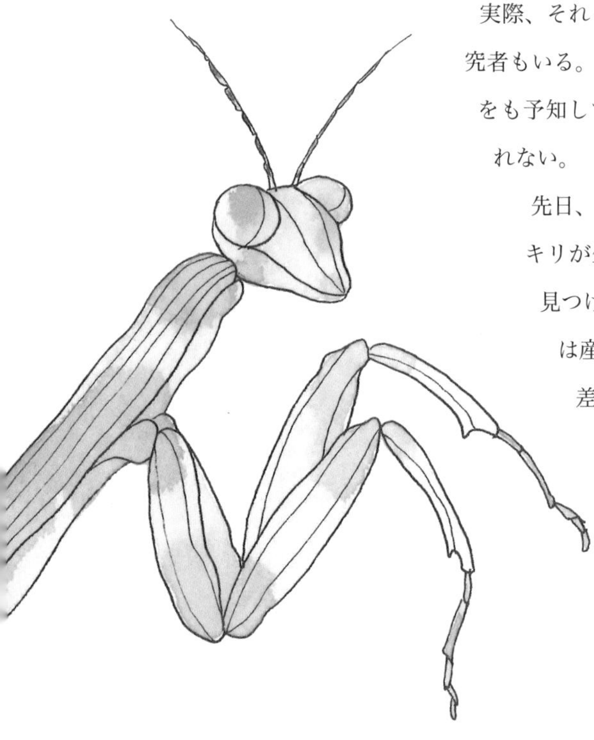

実際、それを科学的に証明して論文を書いた研究者もいる。越冬条件や孵化した子供たちの成長をも予知して、産卵場所を決めているのかもしれない。

先日、コカマキリという比較的小型のカマキリが生け垣で日なたぼっこしているのを見つけた。この時期にウロウロしているのは産卵目前のメスに違いない。午後の日差しで体を暖めているのか、指を近づけてもピクリとも動かない。

ところが次の瞬間、生け垣が修羅場になった。先住者のオオカマキリが突如現れ、コカ

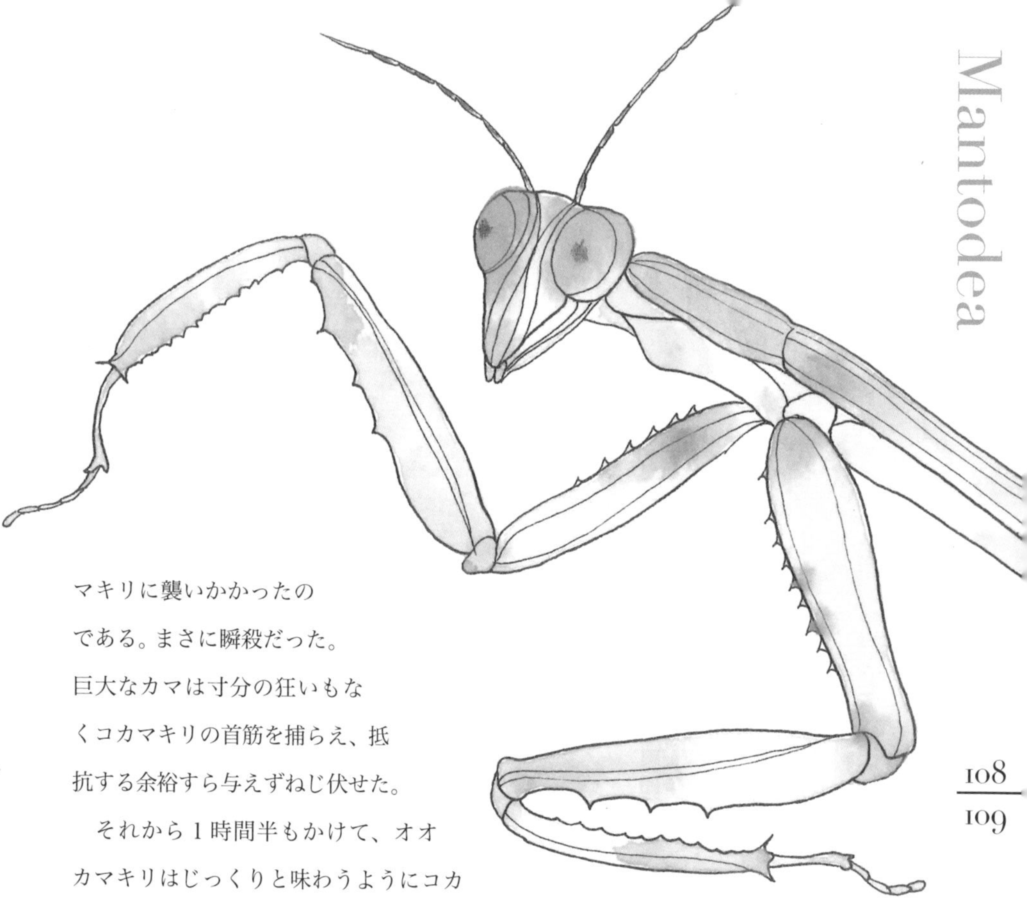

マキリに襲いかかったのである。まさに瞬殺だった。巨大なカマは寸分の狂いもなくコカマキリの首筋を捕らえ、抵抗する余裕すら与えずねじ伏せた。

それから1時間半もかけて、オオカマキリはじっくりと味わうようにコカマキリを完食した。カマの部分から食べ始め、次に頭部をバリバリとかみ砕いた後、胸部を完食。そして抱卵した柔らかな腹部を、悦楽の表情を浮かべながら食べていた。

数日中にオオカマキリは生け垣のどこかに卵を産みつけ、死んでいくのだろう。前橋は雪国ではないから、卵の位置で冬の厳しさを計ることはできないが、今冬の気象について、何かしらのヒントを与えてくれるかもしれない。

渓流釣りはオフシーズンで、最近は自然とふれ合う機会が少なかった。ところが思わぬところで、強烈な弱肉強食の世界を見せつけられた。視線を少し広げれば、身近なところで黙々と行われているダイナミックな生命のやりとりに気付くのである。

然別湖の宝石、ミヤベイワナ

大雪山国立公園内、北海道で最も高い場所（標高 810m）に位置する然別湖《しかりべつこ》。およそ1万5千年前、火山の噴火により川が塞き止められて出現したこの湖には、ミヤベイワナと呼ばれる特別な魚が棲んでいる。森の緑を映す水面に溶け込むようなグリーンの背中と、大きく伸びたヒレが印象的な美しい魚である。

日本産のイワナ属は、アメマス（イワナ）とオショロコマの二種だが、ミヤベイワナはオショロコマの亜種に分類されている。河川内に棲んでいたオショロコマの一群が、湖水の生活に順応するため独自の進化を遂げたのがミヤベイワナである。形態的にはオショロコマと大きな違いはないが、捕食したエサを漉《こ》すための鰓耙《さいば》という器官の構造が特殊で、湖に発生する小さなプランクトンを効率的にエサとして活用できるのだ。比較的大型の昆虫類を主食にする河川型のオショロコマとはその点が異なる。閉鎖的な生息環境に適応して、このような能力を持つに至ったのは国内ではミヤベイワナだけだ。名称の由来は発見者の宮部金吾氏にちなみ、1938 年、魚類学者の権威大島正満博士がミヤベイワナと命名した。現在では北海道の天然記念物に指定されている。

その一方、釣りの対象魚としても以前から人気が高かった。希少魚を神秘的な湖水で釣ることは確かに魅力的だが、資源は無尽蔵ではない。近年になり、資源量の減少が懸念されるようになった。

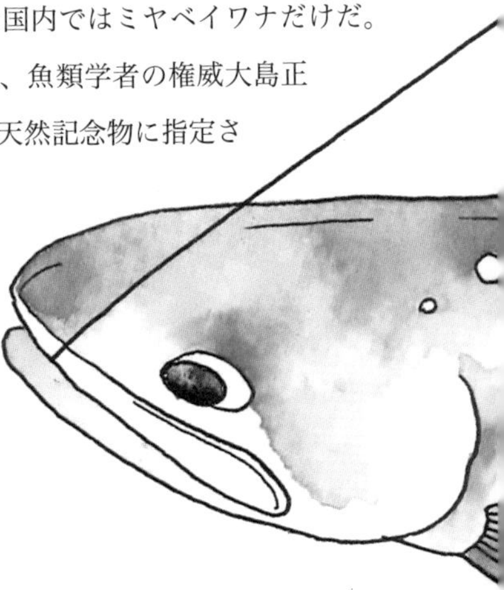

The jewel of Lake Shikaribetsu, Miyabeiwana

2004 年までは然別湖の第二種区画漁業権を持つ鹿追町が管理していたが、2005 年から然別湖の遊漁に関する企画・運営を「NPO 法人 北海道ツーリズム協会」に委託管理することになった。そして釣期を初夏と秋の一定期間に限定したうえで、ミヤベイワナを C&R（キャッチ＆リリース）に指定。釣れても再放流することを義務付けた。同時に釣り人に対してアンケートを実施、釣れた魚の数や大きさ、場所等のデータ収集を行なった。こうして集まったデータは、ミヤベイワナの資源量把握や生態解明に役立っている。年によって釣れる魚のサイズ変動はあるが、概《おおむ》ね 30cm 台の個体が多いようだ。解禁日には遊漁者全体で 1000 尾以上のミヤベイワナが釣れることもあるが、平均すると 600 尾前後である。C ＆ R 指定以降、産卵に参加できる親魚の減少が抑えられ、産卵数が増加した。その世代の効果がじわじわ個体数の増加になって現われているという。釣り人が資源に与える影響の大きさを如実に示した貴重なデータといえよう。

2005 年の C&R 設定からミヤベイワナの個体数は着実に増加している。管理の方法次第で釣り場や魚の状態が劇的に変化することが分かった。他の釣り場管理に、この結果が生かされることを心から望みたい。

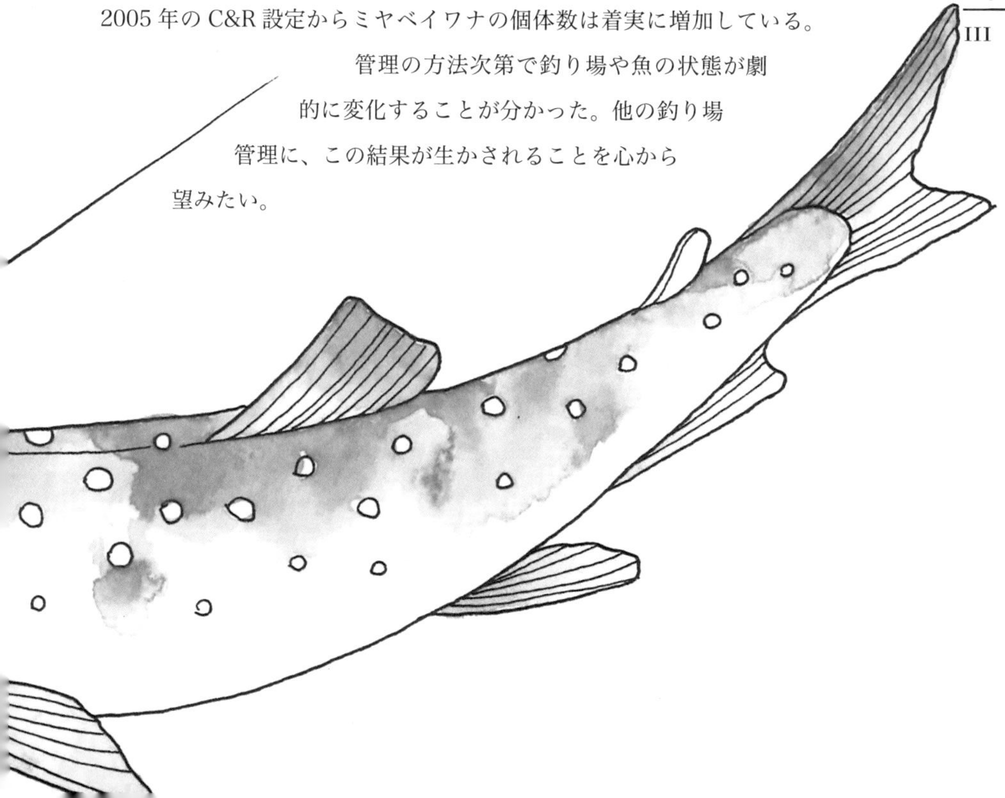

女流フライフィッシャー

フライフィッシングは世界中で最も多くの女性に愛されている釣りである。北米やニュージーランドの有名な釣り場では、夫婦揃ってフライフィッシングというシーンをよく見かけるし、女性だけのグループに出会うこともある。釣りは男女平等に楽しめるので、釣り場で女性を見かけても、特

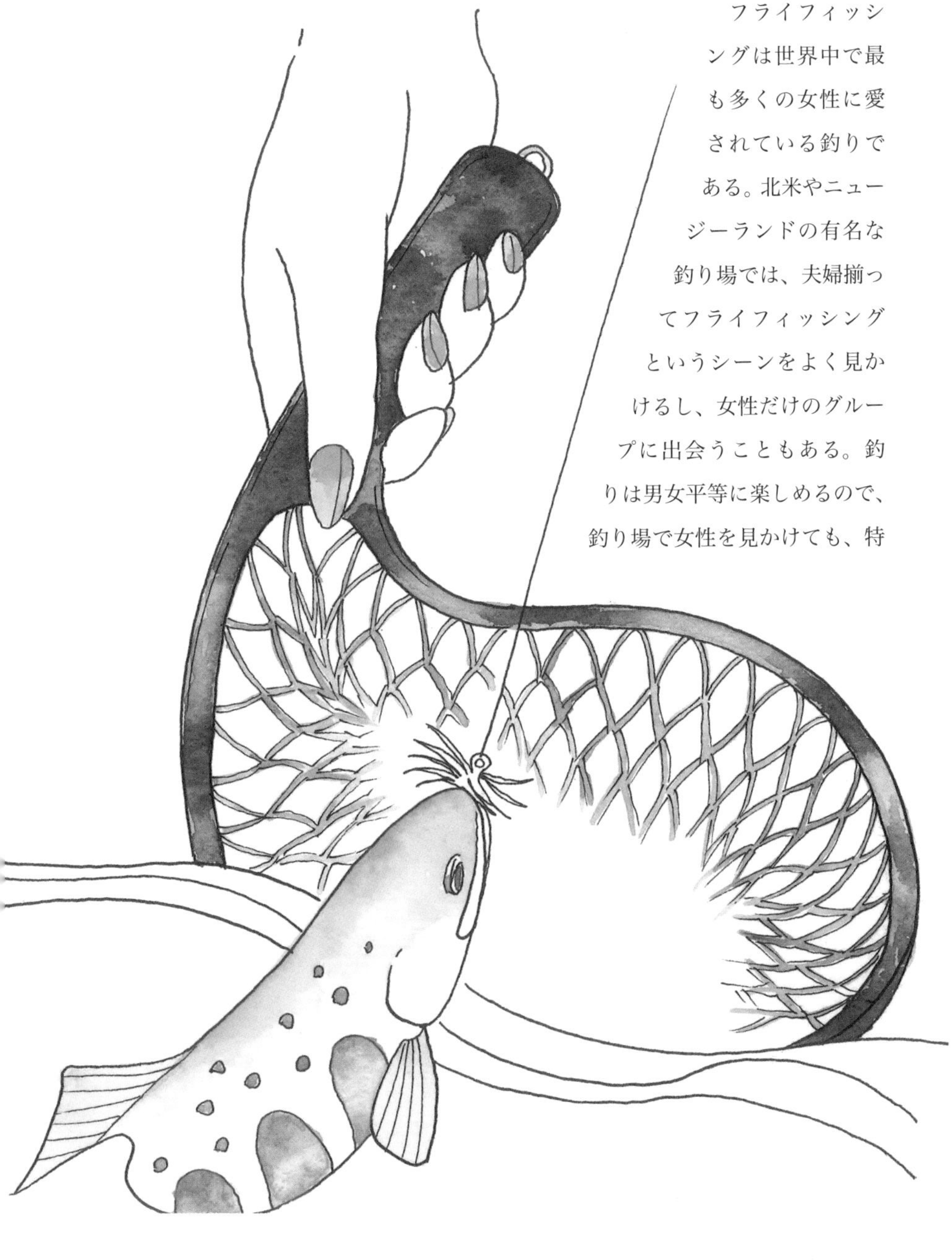

に不思議な印象を抱かれることはない。フライロッドを手に、颯爽《さっそう》と渓流を歩く女性の姿はとても素敵で絵になる。

フライフィッシングはその名の通り、魚たちが実際に捕食している昆虫類等に似せた毛バリを使うことが原則なので、生きたエサを使うことはない。また、ランディング・ネットとよばれる網を使って釣れた魚をすくうことが多いので、魚に直接触れる必要もない。そして何より、最先端のアウトドア・ウェアを着用して楽しめるから、ファッション的な楽しみもある。そうした点が評価され、女性の嗜みとしても定着しているのだ。

ところが日本では、釣りに対するネガティブなイメージが先行しがちだ。釣りといえば、くたびれた風貌のオジサンが汚れた服を着て、ミミズをエサに魚を釣る……。すべての釣りがそうではないと分かっていても、何となく近寄りがたく触れがたい印象を受けている女性が多いのではないだろうか。地方へ行けば行くほど、そんなイメージが増幅されているケースを感じることが多い。

けれどもインターネットが普及して、あらゆる情報がどこにいても入手できる近年、ようやく釣りの楽しさが女性たちにも受け入れられるようになってきた。

特にフライフィッシングに関しては、女性を中心に運営されているグループがいくつかある。そのなかのひとつ、神奈川県の丹沢ホームのフィッシング・エリアを拠点とする『ファグス・クレナータ』というグループとたまたまご縁があり、ときどきメンバーの方々とご一緒させていただいている。彼女らの釣りを見ていると、たいへん勉強になる。女性ならではの直観力や洞察力にいつも驚かされる。もしかするとフライフィッシングは、女性のほうが向いているのでは……と思えることも少なくない。

ふゆ

Winter

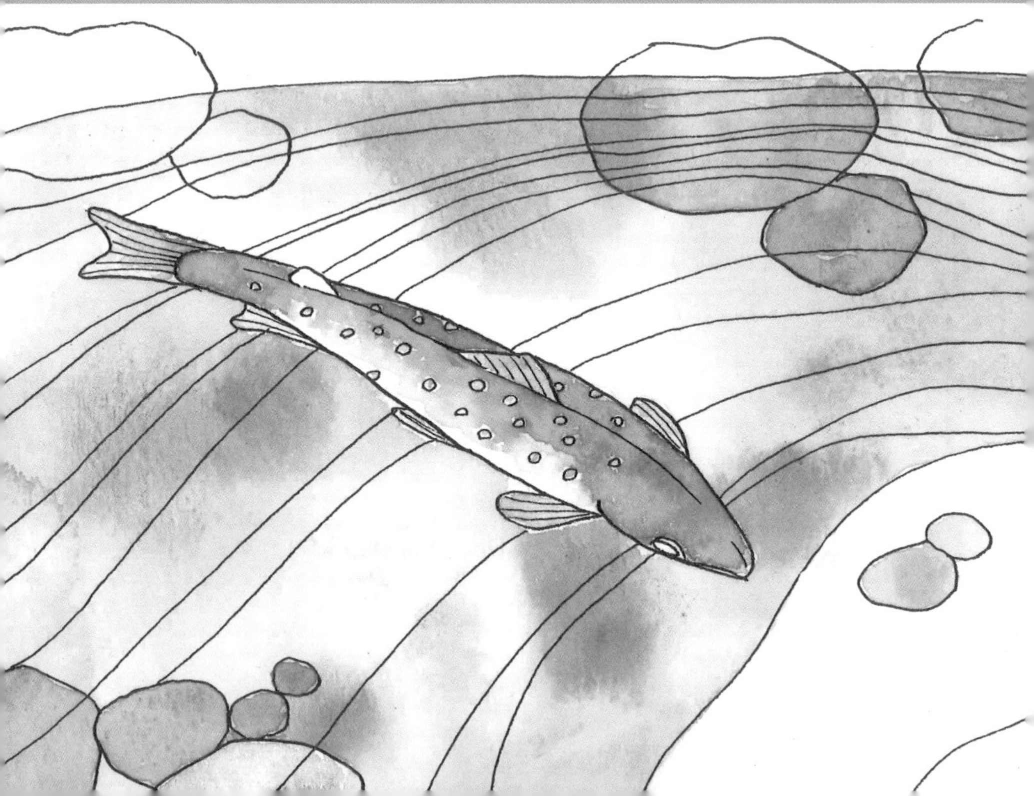

森は眠りにつく。

何も動かない、何も語ろうとはしない。

小春日和の夕刻、ユキムシが乱舞した。

大雪の候、初雪はいつも予言どおりだ。

砂礫の水底には、渓魚たちの新しい命が埋められている。

美しくけがれのない水は、大切な卵を守るために流れ続ける。

やがてあたりは白い雪に埋もれていく。

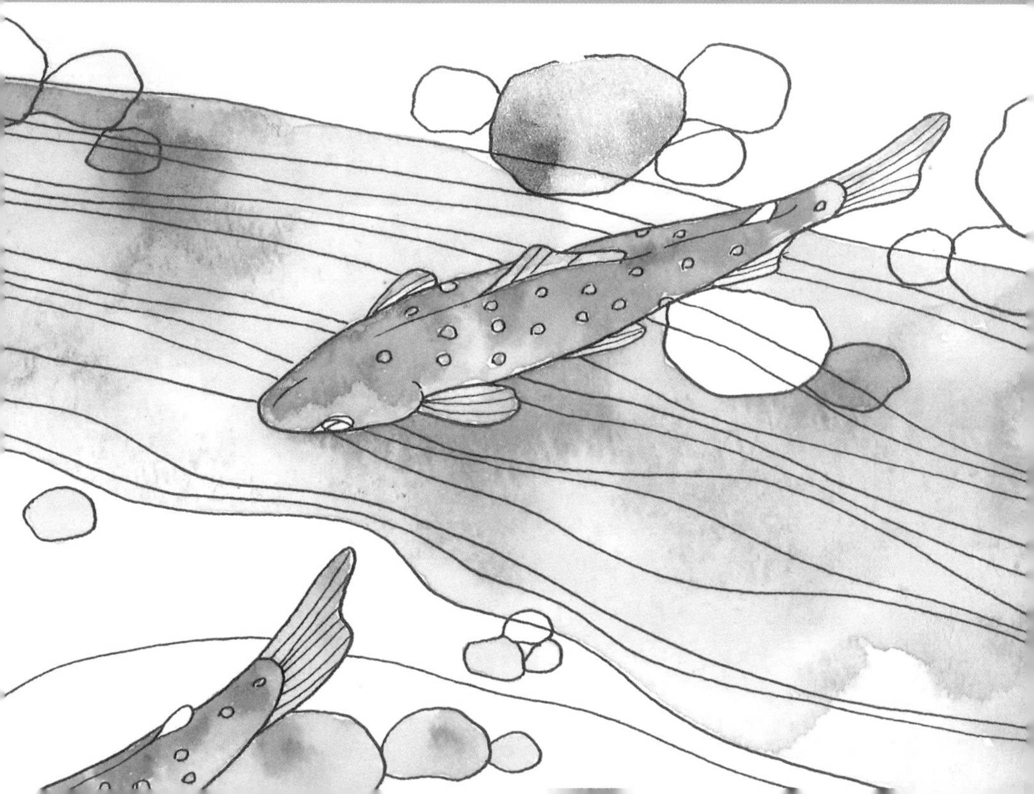

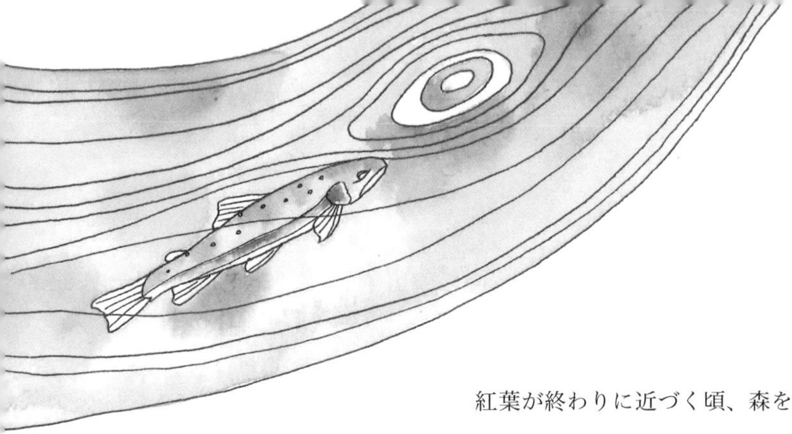

雪虫

紅葉が終わりに近づく頃、森を吹き抜ける風に乗って、無数のユキムシが宙を舞う。晩秋の陽射しを受けて、青白く光りながら水辺の上空を群飛する様子は、まるで粉雪が舞うような情緒のある光景だ。

ユキムシが現れると、数日中に雪が降るといわれている。それは美しい北国の風物詩、毎年繰り返されている自然現象である。

ユキムシは白っぽいフワフワとした綿毛のような物質を、体表面から分泌するアブラムシの仲間の総称である。北海道では「ゆきんこ」「しろばんば」といった俗称で親しまれている（地域によっては小さなカワゲラの１種をユキムシと呼ぶこともある）。

最も頻繁に見られるのはトドノネオオワタムシというアブラムシの一種だ。この虫は暖かい季節にはトドマツの根に住み着いているため、目にする機会は少ない。ところが冬が近づくと、越冬のためにヤチダモの木へ移動する習性がある。その移動期が初雪を迎える季節と微妙に一致する。白い綿毛をまとう姿も雪に似て、私たちの目を楽しませてくれる。

雪の降る直前は一時的に暖かくなるというが、ユキムシはそうした気象の変化を察して、降雪直前に移動日を選ぶといわれているのだ。

ある年の晩秋、北海道釣行に出かけたとき、興味深い場面に遭遇した。

その日は晴天微風の釣り日和。友人たちとニジマスを釣りに出かけることになった。10月下旬になれば、湖のニジマスたちのエサは周囲の森から落葉とともに供給される様々な陸生昆虫が主体になる。カメムシやアワフキムシの仲間、テントウムシやハムシの類だ。

昼過ぎ、どこからともなく現れたユキムシが水面近くを飛び始めた。時間を追うごとに数量はどんどん増え、水面に落下する数も増えてきた。ふと水面に目をやると、ゆっ

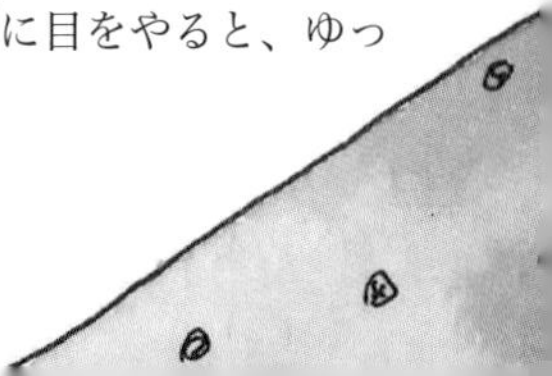

たりと吹き抜ける風が描く細波に沿って、ユキムシが筋状に並んでいた。風向きが変わると、その筋が崩れて、ところどころにユキムシの円型の固まりが発生する。それを目がけて魚たちが浮上し、ユキムシの固まりを「パクッ」とのみ込むのである。

5ミリに満たない極小の虫だから、ひとつひとつ食べるのは効率が悪い。まとまったところで一気に食べれば効率的な食事ができる。自然界が仕組んだ巧妙なメニューに、魚たちの食欲はいつになく旺盛だった。

その翌朝、湖の周囲の森にうっすらと初雪が積もった。

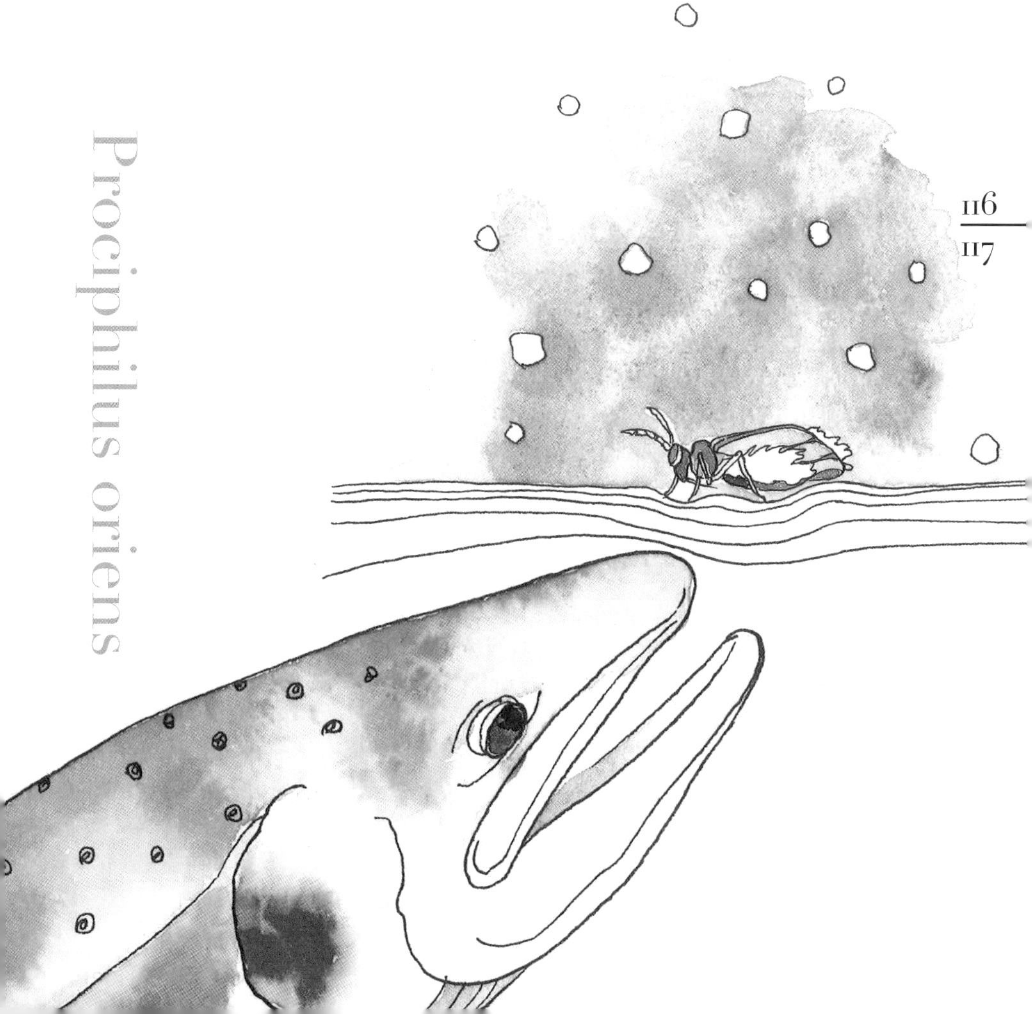

赤城おろしと焼きまんじゅう

地球規模の温暖化が進行中とはいえ、赤城おろしに支配される群馬の冬は厳しい寒さが続く。標高 1828m の赤城山から吹き降ろす乾燥した北風「赤城おろし」がひとたび唸りを上げれば、体感温度が急降下。温暖化という言葉が空しく感じる。

子供の頃、赤城おろしに吹きさらされた身体が氷のように冷たくなると、焼まんじゅうを買いに走った。安価で美味しく、しかも体の芯から暖まる最高のおやつ。冬の上州の荒ぶる気候が生んだ、対赤城おろし用食品なのである。

ところが大学に入るまで、焼きまんじゅうが群馬県独自のソウル・フードであることを知らなかった。他県出身の友人たちに焼きまんじゅうの話をしても通じない。誰もが焼いた餡子入りのまんじゅうを想像する。まさか餡の入っていないまんじゅうの生地を串に刺し、濃厚な甘味噌ダレを塗りたくり、炭火で焼いたもの……とは思うまい（餡子入りバージョンもあるが…）。

けれどもこの甘い味噌ダレが原因で、私はいつも辛い

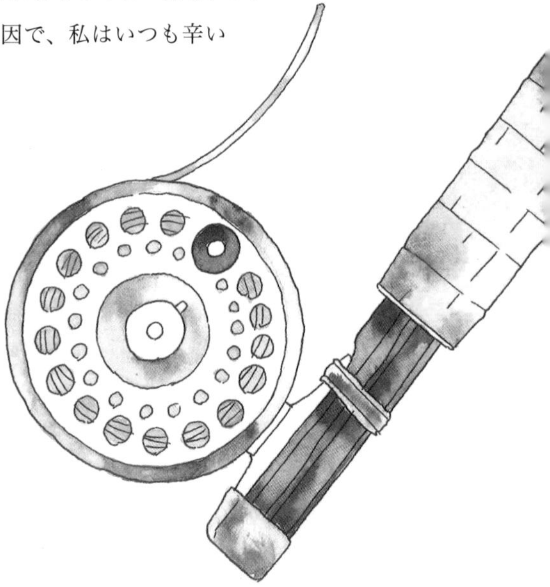

思いをしていた。個々のまんじゅうのサイズは、子供が一口で食べるには少々大きい。それを無理して頬張ると、味噌ダレが口の周囲にベッタリくっつく。それをハンカチで拭き取ったり、洗い流そうという発想がまったくない。それどころか味がしなくなるまで口の周りを舐め尽くすのが流儀と思い込んでいた。唾液で湿った唇とその周囲に、冷たく乾燥した赤城おろしが吹きつける。瞬く間に水分が奪われ、唇はひび割れ、ヒリヒリ痛んでくる。今のように専用のリップクリームなどないから、その症状を緩和するのは強力なワセリンベースの「桃の花」というハンドクリームだった。これを口の周りに塗ると、べたべた状態が数時間続く。そこに至っても、なおも追加で焼きまんじゅうを貪り食うから、口の周りはさらに悲惨な状態になるのであった。それもまた、今となっては懐かしい冬の思い出である。

一定の年齢を過ぎると、あれほど欲していた焼きまんじゅうを日常的に食べなくなる。おそらく味噌だれの甘みが強すぎて、常食がきつくなるのだ。それでもふとした拍子に無性に食べたくなり、老舗のお店を訪れる。食べてみれば、文句なしにうまい。本当にうまい。実は県内各地で微妙に味が違うのだが、前橋の味はやはり前橋でなければ食べられない。まさにソウル・フードなのである。

冬の味覚を楽しみながら眼を閉じると、往時の家族や友人の懐かしい表情がふっとよみがえる。赤城おろしも焼きまんじゅうも、故郷の大切な風物詩なのだ。

Akagi-oroshi and Yaki-manju

生命のつながり

ヤリタナゴ、マツカサガイ、ホトケドジョウ……一般的には聞き慣れない生きものの名前かもしれないが、これら三種の生物の切っても切れない関係をご存知だろうか？

ヤリタナゴはマツカサガイという二枚貝の体内に卵を生みつける。マツカサガイの幼生はホトケドジョウなどの魚の体やヒレに付着・寄生して成長する。つまり、ヤリタナゴはマツカサガイがいないと繁殖できない。そしてマツカサガイはホトケドジョウなどの魚類に成長段階の一時期を依存している。一見すると、別々に生きているように思える生きものが、実はそれぞれに深く関わり合い、支え合いながら生命をつないでいるのだ。

ヤリタナゴは群馬県内に生息する唯一の在来タナゴである。しかもその生息地は藤岡市内のごく一部に限られる。そこは農地と住宅地が混在する地域で、その中を流れる素掘りの水路に生息しているのだ。おそらく微妙なバランスで、ぎりぎりの状態の生息環境が保たれている。藤岡市は平成12年７月に、ヤリタナゴ、マツカサガイ、ホトケドジョウの３種を市の天然記念物に指定した。生物を単独ではなく、３つのセットで指定したことはたいへん意義深い。

民間でも「ヤリタナゴ調査会」「ヤリタナゴを守る会」「やりたなごの会」といった３つの市民団体が保護活動に尽力している。これらの会が共同で主催する行事のひとつに“ヤリタナゴの移動作業”という活動がある。可能な限り参加して、微力ながらお手伝

いさせていただいている。

ヤリタナゴの繁殖に欠かせないマツカサガイが棲むのは用水路の上流部、わずかな区間に限られる。水路の流量は変化が大きいため、状況によっては下流へ移動・分散したタナゴたちは上流へ戻れず、繁殖に参加できなくなってしまう。そこで繁殖地へ戻れなくなったタナゴたちを保護・救出して、繁殖可能な上流部へ移動してやるのである。この作業は毎年春と秋に行なわれ、水路に生息するタナゴの個体数の維持・増加に大きく貢献してきた。

ところが、下流方面で救出できる個体数が極端に少ないことがある。以前は毎回、数100尾の単位で捕獲できていたものが、近年、個体数が激減している。雨量が多いと水路が大増水して、はるか下流へ流されてしまうのか。生息域の変化をつかみきれない状況が続いている。個体数減少の直接的原因は未だ不明だが、事実は事実として受け止めなければならない。

生息地一帯は宅地化が進み、それに伴ってヤリタナゴやマツカサガイに絶好の生息環境を提供してきた素掘りの水路が徐々に少なくなってきている。
生命のつながりと人間の生活について、より多くの人たちと再考しなければならない時が来ているように思う。

熊棚

　冬山に入ると、暖かい季節には見られない動物たちの痕跡を観察できる。春から秋は下草が生い茂り、人間の侵入を拒む落葉広葉樹の森でも、初冬を迎える頃は下草が枯れ、内部に入りやすくなるからだ。樹木の葉が落ちると見通しがきいて、森の隅々まで視界が広がる。普段は枝葉に隠れて見えないものが、間近に観察可能になるのだ。

　先日、嬬恋村で養魚場を営む友人を訪ねたとき、養魚施設の水源地がある裏山を散策する機会を得た。夏には広大なキャベツ畑が広がる嬬恋村では、野生動物の棲息場所は限られている。動物たちは大小の沢筋を移動しながら、点在する森にひっそりと暮らす。そのせいか、エサが豊富なエリアでは、動物たちの棲息密度がひじょうに高い。近年、急激な増加傾向にあるニホンジカやイノシシだけでなく、ツキノワグマもかなり生息数を増やしている。今回訪れた裏山にも、秋口までは７頭ものツキノワグマが出入りしていたらしい。２頭の小グマを連れたメスが２組、それにオスグマ１頭の計７頭……２、３時間あれば一周できるような小さな山だから、その棲息密度の高さは異常ともいえる。

　実際、夏の間は親子グマが養魚場に頻

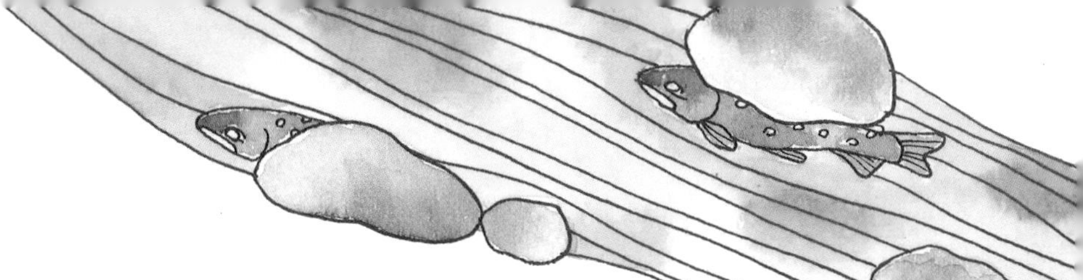

繁に出没していたそうだ。そして養魚場に侵入してマスを捕らえようとしていたという。その様子を撮影したビデオを見せていただいたが、野生動物と人間との距離が必要以上に近いことを実感した。

裏山の森には、ツキノワグマたちが活動していた痕跡「熊棚（くまだな）」があちこちに見られた。熊棚は、ツキノワグマがどんぐりなどの木の実を食べるため、周囲の枝を折って引き寄せ、部分的にまとめたものだ。折られた枝の木の葉は、冬を迎えても落葉しないことから、それがこんもりとした枝葉の束となって木枝の間に残るのである。

クマが木に登って食事をしている季節、周囲は緑で埋もれている。たとえその傍らを我々が通りかかったとしても、クマや熊棚の存在に気付かない。また、暖かい季節にこうした高密度の棲息エリアに入るのは危険である。枝葉で見通しが悪いので、もしも鉢合わせしたらたいへんな事故につながる。

12 月を迎え、クマたちは四阿山（あづまやさん）の奥深くの冬眠地へ向かった。人間社会との境界線に棲むことを余儀なくされている野生動物たちは危険である。完全な共生は難しいが、相手の行動パターンを理解して対処する以外に方法はないだろう。

雪を待つ初冬の森は静まり返っていた。来春この裏山に、ツキノワグマたちは再び戻ってくるのだろうか。

イワナの適応力

岩手県の三陸海岸の小さな港町で過ごした学生時代、私の生活はイワナと共にあった。卒業論文のテーマがイワナの分子生物学に関係する内容だったこともあり、飼育から人工採卵まで、あらゆる角度からイワナを観察する機会に恵まれた。

飼育は主に室内水槽を使っていたが、周囲にはヤマメやニジマスの飼育槽もあり、成長過程の特徴や習性を魚種別に比較することもできた。養殖された魚の多くは群れることをいとわない。狭い水槽でなわばりを形成するのは不可能だし、エサは人間が与えてくれるから、捕りやすい場所を確保する必要もない。ヤマメやニジマスは養殖の歴史が古く、「家畜化」が進んでいる。集団でいることにストレスを覚えず、人が与えるエサもよく食べる。

ところがイワナの場合、そう簡単にはいかない。特に野生魚を親に持つグループの飼育は困難を極めた。孵化後の一定期間は腹部に蓄えた栄養分で暮らすが、自力でエサを捕る段階になっても、配合飼料などには見向きもしない。鶏のレバーをすり身にしたものや、ミジンコやワムシなどのプランクトンを与えながら一生懸命育て上げた。

餌付けの初期段階で相当数が死亡する。照明をともすだけでショック死することもあり、水温の変化にも敏感だった。ある程度成長すると、仲間同士で共食いすることもあった。仲間同士で

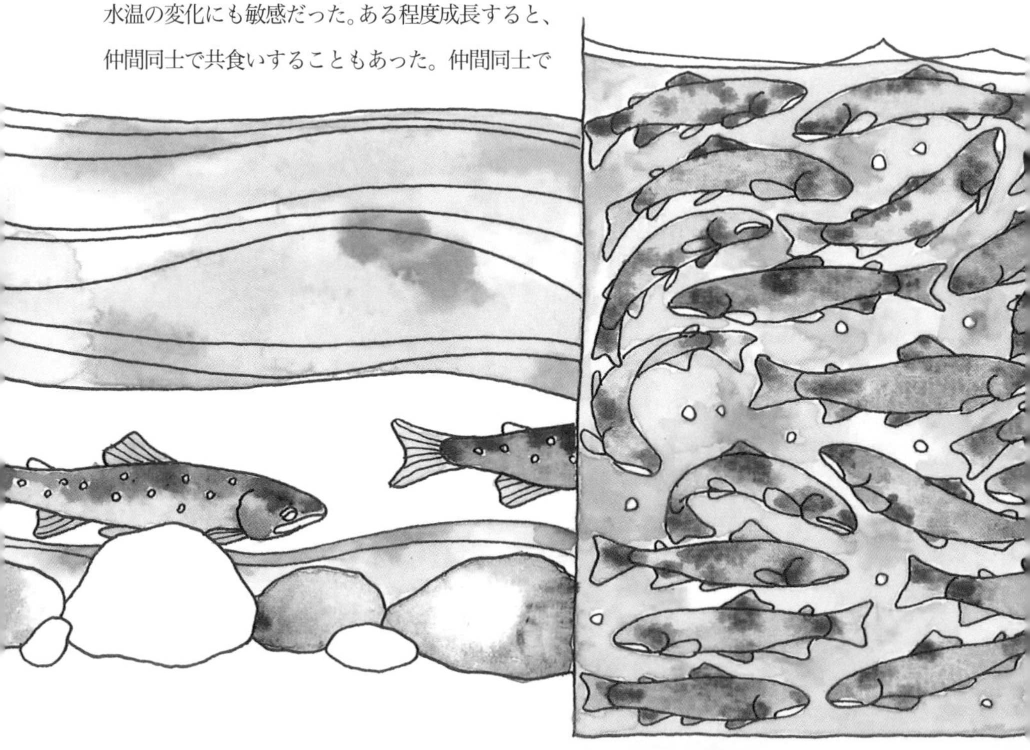

群れようとせず、それぞれが孤高を極めるべく成長しているように見えた。狭い水槽内で野性の競争原理そのままの行動を取り続けるのだから、飼育は困難を極める。そこで網戸を筒状に丸めたものを水槽内に何本も立て、その中に混乱が起こらない程度の数の稚魚を分け入れた。それでも弱いものは次々に死んでいく。他の魚種に比べると成長も遅い。このような性格から、昭和50年代まではイワナの養殖は難しいだろうといわれていた。

ところが近年、イワナの養殖が盛んになり、ビジネスとして定着した。世代を重ねるごとに飼育環境への適応力が増すというのだ。病気に強く、配合飼料もよく食べ、皆で仲良く群れ泳ぐ。ある一定の条件さえ整えてやれば、ヤマメやニジマスよりも飼いやすいらしい。野生魚の飼育経験ある者にとって、にわかには信じられない話だが、長年イワナ養殖に携わってきた友人がそういうのだから間違いないのだろう。

河川の最上流部に生息する天然のイワナたちは、厳しい自然環境の中で生き抜いてきた。その環境適応能力が、人間の飼育下でも発揮されるらしい。イワナのたくましさは、私たちの想像をはるかに超えている。しかし、飼育されたイワナたちにどんな未来が待っているのか。それを考えると安心はできない。

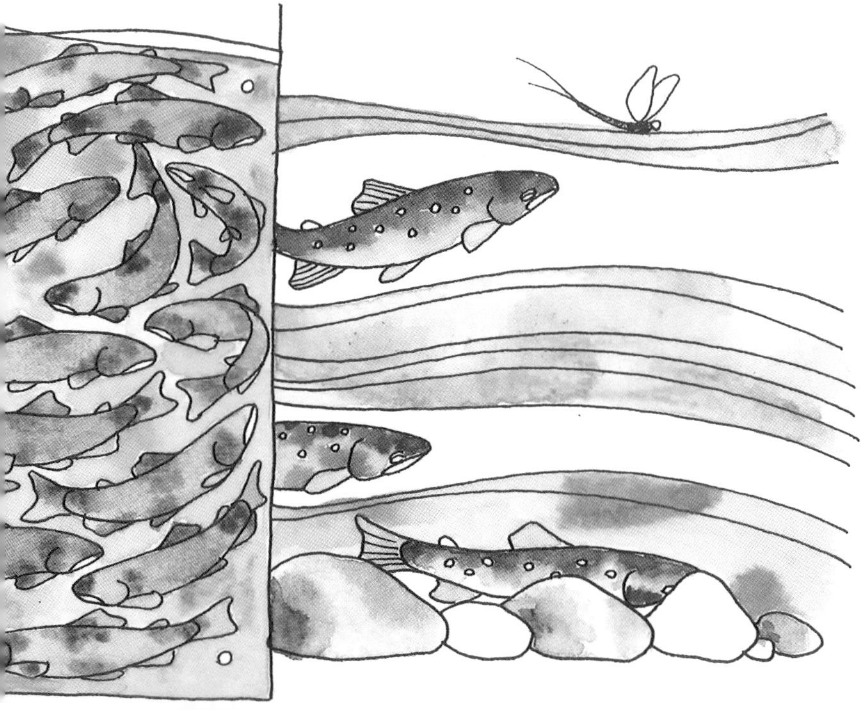

人面イワナからの警鐘

魚が閉鎖的な環境に追い込まれたり、乱獲や自然災害などで数が激減したりすると、血縁の近い魚同士で交配を重ねる可能性が増す。例えば、滝の上流や源流部付近に築かれた堰堤等で生息域が隔離されると、急激に近親交配が進んで絶滅へ向かう危険性が高まるのだ。

そうした危機的状態を知らせるのが、魚の体に表れる変化である。よく見られるのは背骨の湾曲やヒレの形が崩れる奇形である。イワナの場合、特徴的なタイプがいくつか知られている。背びれ前方のゆがみ、胸びれなど左右対称部位の崩れ、そして今回紹介した上顎部の欠損である。

この症状、実は古くから釣り人の間ではよく知られている奇形タイプだった。正面から見ると人の顔のように見えることから、「人面魚」「山親父」などと呼ばれ、比較的広い範囲で発見されていた。現在では「狆頭《ちんとう》イワナ」として、遺伝的な要素を併せた試験研究が進められている。

これまでの研究で判明したのは、狆頭イワナが出現する集団の

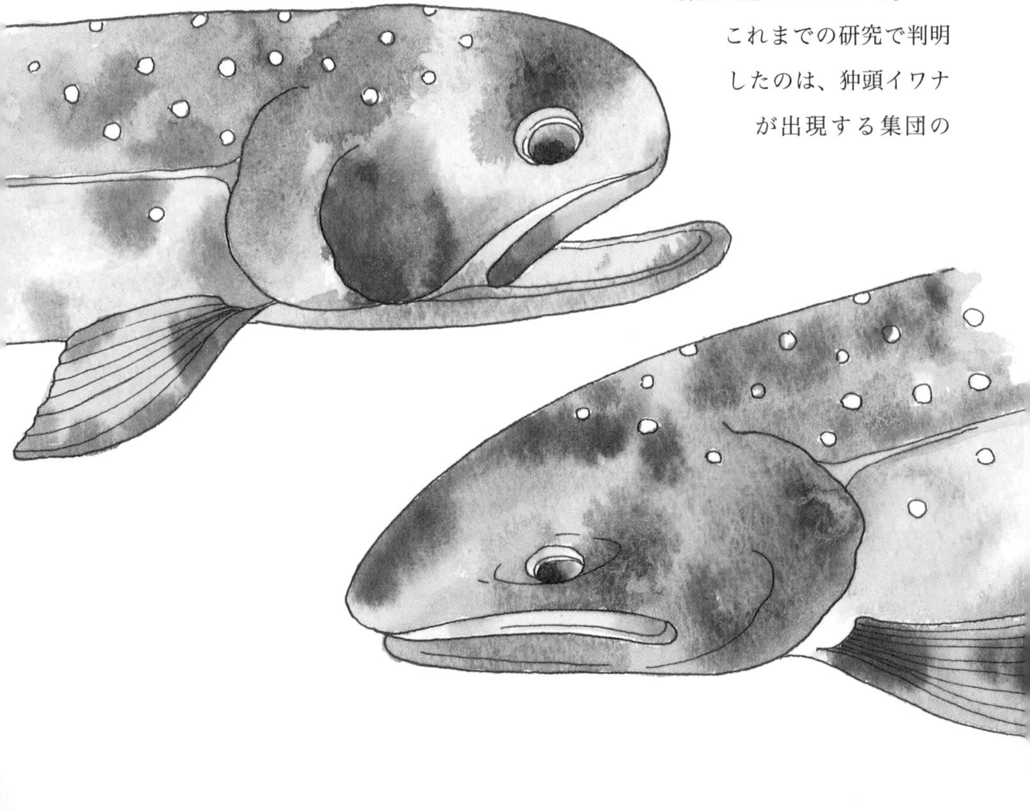

遺伝的多様性が、他の集団と較べて著しく低いことだった。遺伝的多様性が低下すると、自然災害などで環境変化が起こったときの適応能力に乏しくなったり、正常なイワナよりも成長が不利なことから、生残率や繁殖率も低下する。しかし、環境適応に不利と見られる狆頭イワナが、集団内に一定の割合で存在し続ける要因についてはよくわかっていない。これらの点は奇形魚発生のメカニズム解明と併せて、今後の研究で明らかにされていくだろう。

数年前、北海道南部の渓流の滝壺で狆頭イワナを釣った。過去にこのタイプのイワナには５〜６回巡り合っているが、このときばかりは思わず息をのんだ。個体群のボトルネック現象が起こるとは考えづらい健全な集団内で、こんな魚に出会うとは想像していなかったからである。しかし、よく考えてみると生息地の孤立は条件次第で頻繁に起こる。

そこは釣り人もめったに訪れることのない山奥の小渓流で、大きな滝と堰堤に挟まれて孤立を余儀なくされた区間だった。上流・下流の両方向からの仲間の交流が絶たれた場合、一時的に集団内の血が濃くなる現象が起こるのも当然といえば当然。

長い年月で考えれば、奇形魚の発生は小さな集団内で起こり、いつのまにか消える現象なのかもしれない。けれども不用意に人間の手でゆがめられた環境が、魚たちを絶滅に向かわせているという考え方もできる。イワナの集団内部でどんな遺伝的な変化が起こり、それがどんな結果を引き起こすのか。ひじょうに興味深い研究テーマであることを感じている。

Alert from
malformed fish

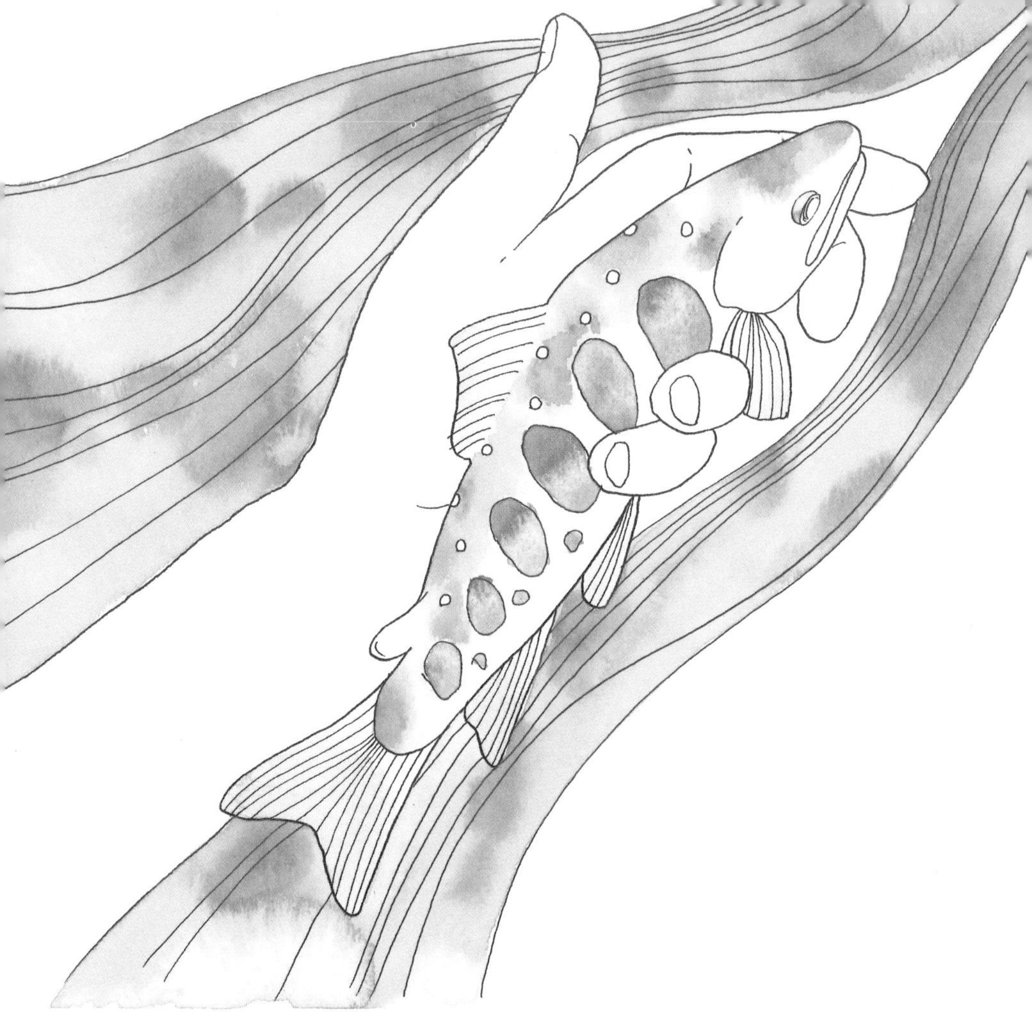

渓流釣りと放射性物質

私たち渓流の釣り人は、春の訪れを何よりも楽しみにしている。解禁日以降は自由に山河を駆け回り、好きな時に好きなところへ行ける。その幸福を存分に味わえるのだから、春はまさに希望の季節なのである。年齢とともに、ガツガツ釣ろうという気持ちはどんどん失せているのに、年間釣行回数は一向に減らない。むしろプライベート釣行の回数は増えている。

Radioactive substance changes the fishing environment

釣りだけのためにフィールドへ足を運ぶのではなく、風景を眺めたり、水辺の生きものたちの写真撮影を楽しんだり、のんびりくつろぐ時間が長くなったぶんだけ、楽しみも広がった。自然と親しむことが、今の私には何ものにも代えがたい至福の時間なのである。

2012年の解禁を間近に控えた2月27日、群馬県農政部蚕糸園芸課から放射性物質汚染に対する水産物の安全検査に関する結果発表が行なわれた。県内の主要11河川で採補されたヤマメ・イワナからは暫定規制値(500ベクレル／kg)を上回る値は検出されなかったものの、4月1日から適用される新規制値(100ベクレル／kg)を超える値が5河川（川場村の桜川と薄根川、伊香保町の沼尾川、高崎市の烏川、東吾妻町の温川）の魚から検出された。

この結果を受け、県では各漁業協同組合と協議のうえ、釣れた魚をすべて再放流することを条件に釣りを認めることにした。同様の結果が出た栃木県では釣りを認めず、解禁延期を決めた。いずれの措置が適切かは賛否が分かれると思うが、個人的には群馬県の判断のほうに妥当性を感じる。そもそもこの基準値は食品衛生法に基づくものである。釣りは「遊漁」であって「職漁」ではない。釣れる魚が必ずしも食品に該当するとは限らない。釣りがレジャーやゲームとしての側面が強くなっている現在、釣ることと、食べることを常に同次元に置くこと自体が問題ではないか。渓流釣りではすでに再放流の概念（キャッチ＆リリース）が浸透している。禁漁によって釣り人の来訪が途絶えれば、地域の経済にも大きな影響を与える。釣り人の来訪による経済効果の大きさは、意外に知られていない。

何もかもがあやふやな暗がりの中から、数字だけが浮かび上がって人々を恫喝する……。大震災以来、多くの人たちがこのような戸惑いを覚えているのではないだろうか。そんな状況にあっても、問題に対して前向きに取り組もうとする関係者の努力は計り知れない。今後はさらに様々なデータを積み上げ、より良い策を考えていく必要があるだろう。河川環境や渓魚たちに対してよりいっそう関心を高めながら、川や渓魚を愛するすべての人たちが手を取り合い、行動を共にしていくべきである。

イワナたちの未来

地球が今よりずっと寒かった時代、冷水を好むイワナたちは日本列島の沿岸部を回遊しながら、各地の河川を最大限に利用して栄華を極めていた。イワナも本来はサケと同じように、川と海を往復する“通し回遊”を行なうことで子孫を繁栄させてきた。海に降りたイワナはアメマスと呼ばれ、現在でも東北北部や北海道では、海で生活するアメマスの姿を普通に見ることができる。サケと違う点は、海洋生活では長距離の移動はせず、もっぱら沿岸部を中心に回遊すること。1度の産卵でオス・メス共に斃死《へいし》せず、産卵後に再び河川を降下・遡上できること。そして通し回遊が不可能になった場合は河川内だけで産卵・成長が可能なことである。優柔不断で強靭な生命力のおかげで、水温の上昇した海域へ降下できなくても、あるいは地殻変動による環境変化等で河川の上流に取り残されても、イワナたちは命をつなぎとめることができたのである。

ところが近年、河川最上流部に取り残されたイワナたちの身辺に、新たな脅威が発生している。それは人間たちが築いた無数の砂防ダムの存在である。大小のダムによって河川が寸断されると、河川内の移動が困難になる。つまり同一水系に棲息する個体間の交流が断たれ、小さな個体群として隔離されてしまうのだ。個体数の減少は近親交配の率を高め、強いオスが複数のメスを独占しやすくなる。また、生存に不利な遺伝子が受け継がれる危険性も高まり、遺伝的多様性が損なわれるリスクも高まるのだ。

実際、ある学術論文には「利根川上流の野生イワナ生息域は、砂防ダムによる分断化

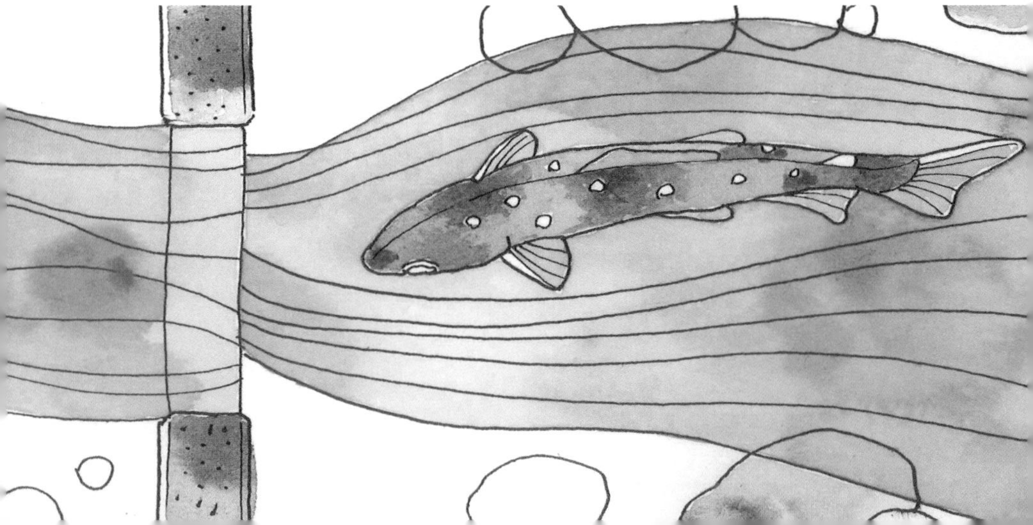

によって生息区間が平均430m、その80%以上が500m以下という厳しい状況にあることがわかった……」という記述が見られた。また、「一般的渓流の500m区間に生息する個体数に換算すると、わずか100～500尾程度となる」という報告もある。さらにこうした隔離が進行すると、分断化された個体群の絶滅が30～100年後に起こりやすい」というコンピュータ・シミュレーションの結果も出ている。砂防ダムの建造ラッシュは1970年代に始まり、現在に至っている。つまり、絶滅の可能性が高まる時期をすでに迎えているのだ。

様々な試行錯誤を繰り返しながら、絶滅を回避する研究も急激に進歩している。その一方で、そうした危機的状況に興味すら示さない河川管理組織があるのは残念だ。愛すべきイワナたちの行きつく場所が、水源地の向こうに広がる天空であってはならない。

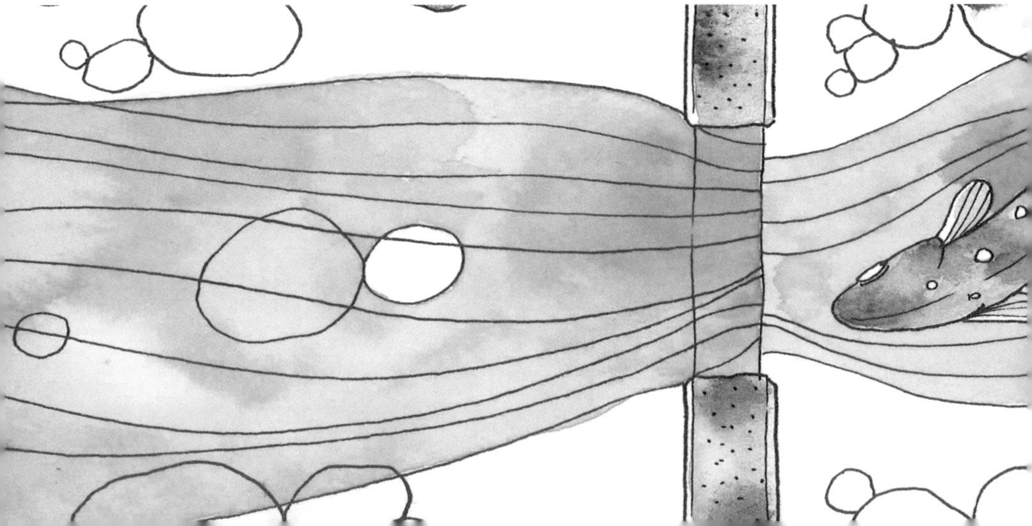

鉄鍋料理

冬は暖かい料理が嬉しい。身体が芯から暖まって幸せな気分になれる。釣り仲間が集まってワイワイガヤガヤ、賑やかな食事会ともなればなおさら楽しい。

そんなときこそ、鉄鍋（ダッチオーブン）を使った豪快で男らしい料理がぴったりだ。渓流釣りのオフシーズン、桐生市の新里町にある管理釣り場“赤城フィッシング・フィールド”に集まり、『男たちの鉄鍋会』と銘打って、釣りとダッチオーブンの料理を楽しむ会を仲間内で催している。冬の寒さの中、屋外で火を起こし、鍋を並べて男たちが料理に興じるのだ。私自身は料理が苦手なため、出来上がった料理を食べるだけだが、毎回必ず参加させていただいている。

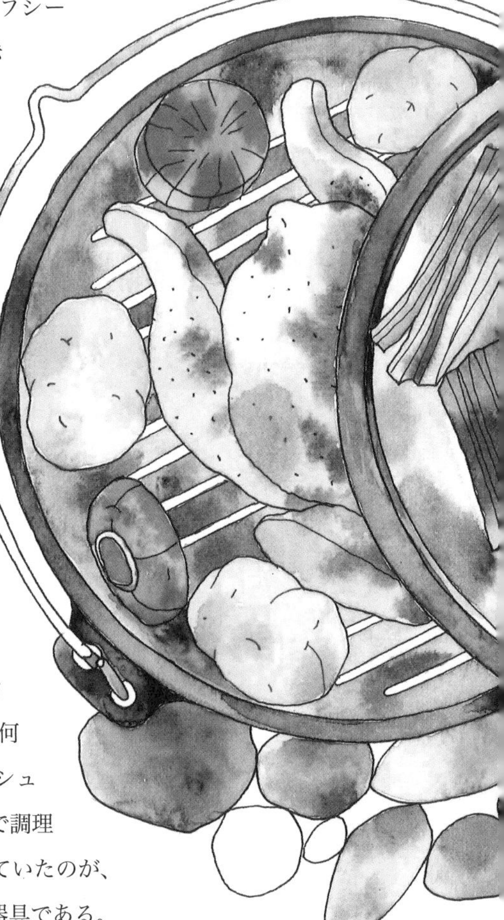

ダッチオーブンとは、アメリカの西部開拓時代に使われていた鋳鉄製の頑丈な鍋のことをいう。その昔“ローハイド”という西部劇のドラマが放映されていたのをご存知だろうか。大量の牛を長距離移動させるカウボーイの活躍を描いた番組で、何度も再放送されている。そのなかでウィッシュボーンという名前の料理長が、キャンプ地で調理をする場面がよく出てきた。そこで使われていたのが、ダッチオーブンやスキレットといった調理器具である。

ダッチオーブンは厚みのある鋳鉄の本体と蓋により、優れた熱伝導性と密閉性を保てるのが特徴である。そのため鍋全体に熱がムラなく行き渡り、食材にも均一に熱が通り水分も逃がさない。こうしたオーブンのような性質を生かして、肉や野菜を丸ごと投入した豪快な煮込み料理を作るのである。シンプルながら深い味わいを楽しめることが、ダッチオーブンで調理された料理の最大の美点といえよう。

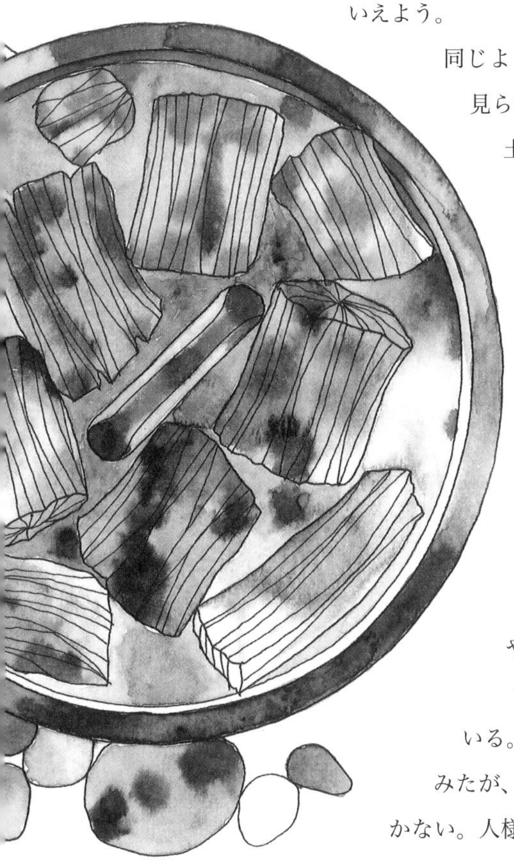

同じようなコンセプトの調理器具は世界各国に見られる。日本の南部鉄などもそのひとつだ。土鍋もまた同じ系統の調理器具といえるだろう。けれども屋外での使いやすさという点では、西部開拓時代に活躍した実績のある頑丈なダッチオーブンが最適だ。世界中に愛好者が多く、今や日本国内でもアウトドア料理に欠かせない存在になっている。

つい先日、今年最初の鉄鍋会が行なわれた。すでに鉄鍋の達人と称される輩もいて頼もしい限りである。料理のクオリティは上昇一途で、毎回さまざまな工夫やアイデアを施された料理が追加される。

実は私もダッチオーブンをひとつ持っている。それを使って何度か自宅で料理を作ってみたが、料理の才能がまったくないのでうまくいかない。人様に味わっていただけるような味に、どうしても仕上げられないのだ。仲間たちには申し訳ないが、やはり食べることだけに専念しようと思う。

鱗水の木彫魚

学生時代に親しかった友人とはいえ、卒業して30年以上も経過すると、どうしても疎遠になりがちだ。時候の挨拶を交わす程度のつき合いがあっても、どちらかが引っ越したり、喪中の年が入ったりすると、それをきっかけに連絡が途絶えがちになる。互いの住まいが遠いほど、よほど引き合う縁がない限り、ついには消息不明になることさえある。

しかし世の中に腐れ縁というものがあって、気がつくとどこかでつながっている友がいる。腐れ縁を好ましくない関係とする人もいるが、やはりそれもご縁なのだから、私はむしろ大切にしたいと思っている。

和歌山県の田辺市に“魚類彫刻家”の肩書きを持つ田中鱗水という友人が住んでいる。彼は北里大学水産学部の同級生で、同じ学生アパートに3年間共に暮らしていた。あまり口数の多くない生真面目な性格だったが、魚類標本や顕微鏡で観察する微生物のスケッチでは、素晴らしい絵画の才能を発揮した。ホルマリン標本の生気が失せた魚でさえ、彼の手にかかると、今にも泳ぎだしそうな生命感あふれる魚体に生まれ変わった。ホタテガイの解剖では、内臓の様子を質感まで正確に描写してみせた。顕微鏡の中のゾウリムシは、まさにペイズリー柄のごとく美しいデザイン画に豹変した。

卒業後、彼は父親の営むアユの養魚業を継ぐため故郷へ戻った。ところが30才を過ぎた頃だっただろうか、ある日突然「オレは彫刻家になる」という連絡があり驚愕した。早くに結婚して子供までいるというのに、どうして芸術家への道を選ぼうとするのか。彼をまったく理解できなかった。しかしその宣言からしばらくして送られてきた作品の写真を見て、驚愕どころか卒倒しそうになった。

一塊の木片から彫り抜かれたイワナやヤマメ、そして海水魚のタイやヒラメ、さらにはサザエやヒトデに至るまで、見事なまでの出来栄えだった。その後、実物を観賞して完全に納得。大学時代に彼の描いた魚のスケッチなど、朝飯前のお絵描きだったのだ。それどころか、何もないところから立体をデザインできる3D脳の持ち主だったのである。

そんな鱗水はフライフィッシング用のランディング・ネット（手網）の製作を行なっ

ている。もちろん彼は学生時代から一緒にフライフィッシングを始めた同期の桜である。ネットを自作する人は多いが、彼の作るネットは材料から技術力まで別次元である。

　渓流釣りのシーズン開幕を前に、彼から１本のネットが届いた。ますます磨きの掛かった作品に感心しながら、その出来栄えに負けない美形魚を釣ってやろうと、気持ちが高ぶるのであった。

※田中鱗水の作品は以下のホームページで見ることができます。
鱗水の木彫魚 http://www.rinsui.jp

Wood carving by Rinsui

竹竿の魅力

私が釣りを始めた頃、釣り竿といえば竹製のものが主流だった。少年の小遣いで手が届くのは、ノベザオと呼ばれる手元から先端まで継ぎ目のない１本竿。３ｍくらいの長さなら、100円以内で手に入った。これを自転車のフレームに縛りつけ、近所の釣り場へ出陣するのだった。

時代と共に、釣りザオの素材は竹からグラスファイバー、そしてカーボンへと変化していった。ほとんどの釣りで竹ザオは姿を消し、より軽く強いカーボン製が主流になった。

フライフィッシングでは、オモリを使って遠心力でラインを飛ばすことはしない。そのかわり、太くて重いラインをサオの弾力に乗せるようにして投げるので、専用のサオが必要になる。これは“フライロッド”と呼ばれ、一般的な渓流で使うのなら、長さも２ｍ半程度で充分だ。この長さなら、素材による重さの違いはそれほど大きくないことから、フライフィッシングの世界では竹竿……つまりバンブーロッドがいまだに根強い人気がある。

フライフィッシング専用のバンブーロッドは、１本の竹をそのまま利用するのではなく、断面を正三角形に加工した竹を張り合わせ、六角形に仕上げるのが特徴である（四角や五角もある）。素材の竹はひじょうに丈夫なトンキンケーンという中国や南アジア産の竹が使われる。最近では日本製の真竹や淡竹、孟宗竹も用いられるが、耐久性という点でトンキンにはやや劣る。けれどもトンキンよりも軽く、軽快なアクションに仕上げることができる。

工法の性質上、バンブーロッドは高価である。熟練した竹竿職人の手で組まれたものは、美術工芸品のように美しい。欧米には伝説の職人がいて、彼らの作品はアンティーク的価値を生み、ときには数百万円もの価格で取り引きされる。

竹竿で釣りを覚えた世代には、竹という素材の釣り味を忘れられない。釣り方が変わってもその感覚を忘れることはない。竹の繊維が手に伝える魚の躍動感や、独特のしなり具合に喜びや懐かしさを覚えるのである。

バンブーロッドにはマニアックな蒐集家《しゅうしゅうか》が多い。私の親しい友人もその１人で、彼は前橋市の千代田町に“Acropolis”というフライフィッシング専門店を構えている。彼の店のショーケースに飾られたマニア垂涎のバンブーロッドを眺めながら、遠く海外の釣りシーンやフライフィッシングの歴史に思いを馳せると、心地良い夢を見ている気分になる。竹竿の魔力に取りつかれた人たちは、一生その世界から抜け出せないのだ。

The charm of bamboo rod

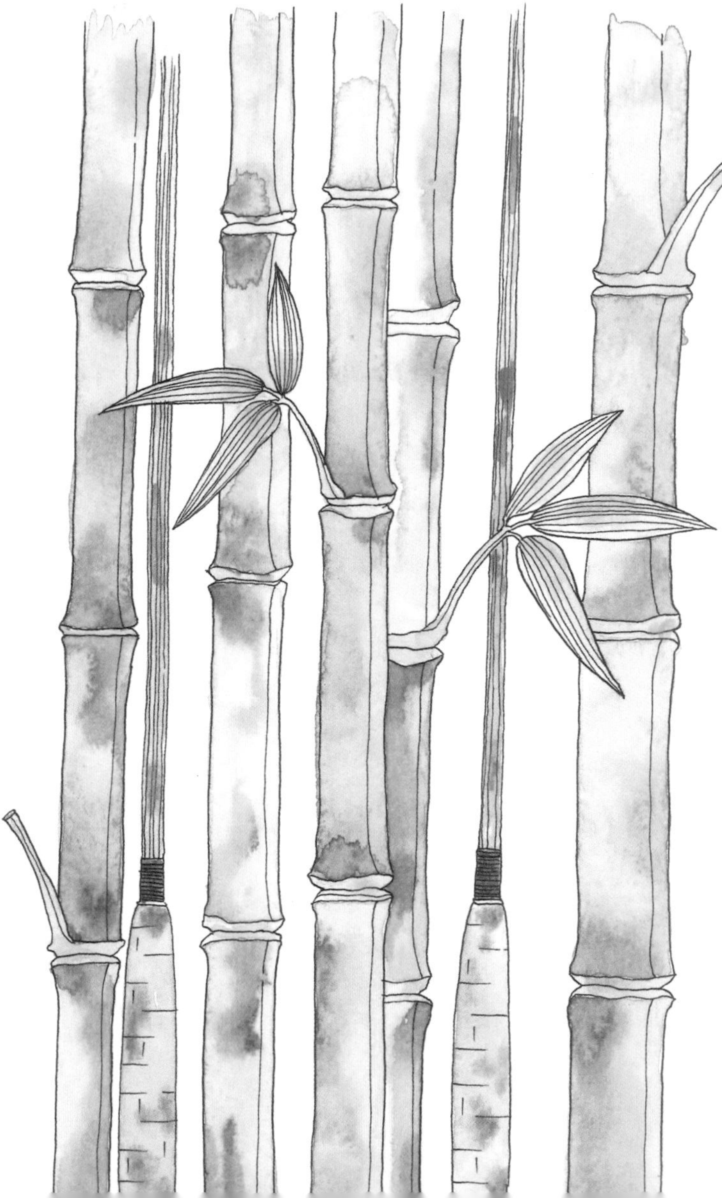

フライを巻いて季節を待つ

フライ（毛ばり）を巻くことは、フライフィッシングを嗜む者たちにとって大きな楽しみである反面、少々辛くもある。私の場合、釣りに使用するフライのほぼ100%が自前だから、日常的に巻きためておかないと、需要と供給のバランスが取れずに苦労する。使いたいフライがあるのに、時間がなくて準備できないと不安を覚える。ところが、いくら準備したところで満足できないのが釣り人の業なのだ。

渓流にはたくさんの水生昆虫が棲んでいる。種類、大きさ、カタチ、それぞれに膨大なバリエーションがあり、年間を通じて渓魚たちの重要な食料になっている。中心になるのは渓流に生息量の多いカゲロウやトビケラ、カワゲラ、ユスリカの仲間だが、フライはこれらの水生昆虫の幼虫や成虫をモデルに考案される。材料は鳥の羽や獣毛、化学繊維等だが、これらを巧みに組み合わせて本物そっくりにイミテーションしたり、特徴をデフォルメして、多様なパターンを考案する。また、汎用パターンをベースに、自分の観察やアイデアを加えてオリジナル・パターンを作り出すのもフライを巻く醍醐味だ。

フライを巻く作業は細かい指先の動きが必要なため、目がひじょうに疲れる。そして多くの人が経験するように、ある年齢から始まる老眼の進行に苦労する。本や新聞を読むときよりも、一段階度の強い老眼鏡が手放せなくなるのだ。

さらに毎日の仕事に利用するパソコンのモニターが眼精疲労に追い討ちをかける。特に5mm前後の小さなフライを巻くとき、一度小さな部分に焦点を合わせると、瞬時に焦点の移動ができなくなる。

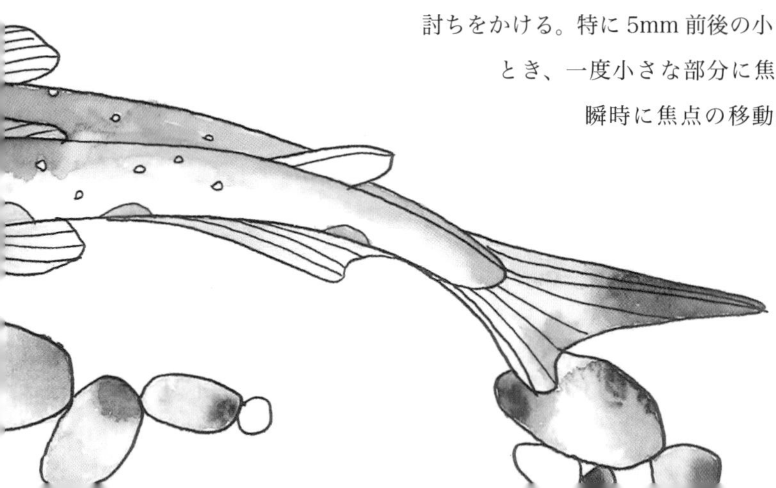

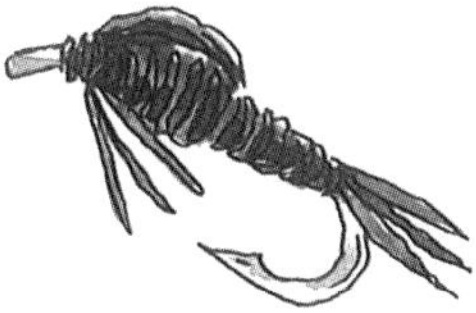

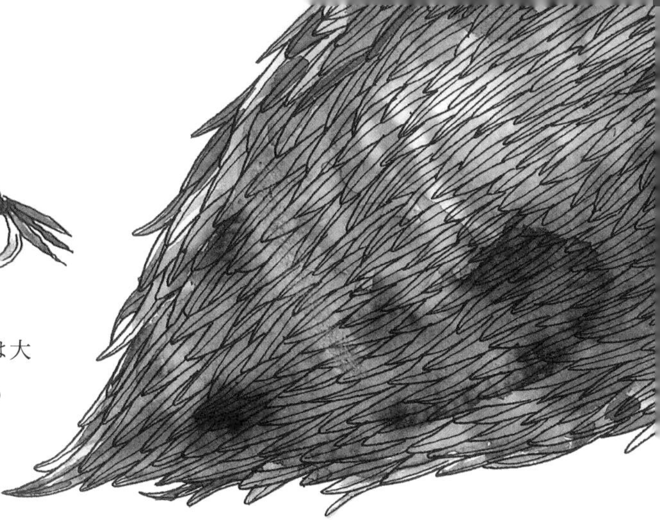

それこそが老眼だが、これは大きなストレスになって時間のロスにもつながる。フライフィッシングでは、条件次第でどうしても小さなフライに頼らざるをえないので、これをおろそかにすると後で後悔する。そんな経験を何度も重ねているから、手抜きはできない。

群馬県の渓流釣り解禁日は３月１日だ。年明けから２月いっぱいが、自分のフライ増産期間だ。まだ先のことだと思っていると、あっという間に時間が流れて解禁を迎える。どんなフライがどれくらい必要かは長年の経験で分かっているものの、数百本分もの材料を不足なく揃えるだけでも容易ではない。私にとってはこれも生業の一部だから耐えるしかなく、ひたすらフライを巻き続ける。フライのクオリティを落とせば、それはそのまま結果に表われる。フライを巻く時間を大切にしないと、後で何倍にもなって自分に返って来るのだ。

もはや渓魚に釣られているのも同然だが、そんな苦しみがあってこそ、いつ訪れるのかわからない栄光の日々を迎えられるのである。

For the coming season

凄腕のフライフィッシャーには
自然に対する広く深い視野と愛がある

佐藤成史。フライフィッシャーならこの名前を知らない人はまずいないだろう。多くのフライフィッシングに関する記事や書籍の執筆や映像への出演、またフライフィッシング・タックル（道具）の開発など、これまでの日本のフライフィッシングの発展に多大な貢献をされている第一人者である。

そんな中で、個人的に特に愛読したものが、1990 年に発行された『ザ・フライズ』と 1998 年に発行された『瀬戸際の渓流魚たち』だ。『ザ・フライズ』はとにかく大きな渓流魚を釣りたいという欲求を満足させるためのフライパターン集であった。佐藤さんの優れたフライタイイングテクニック（毛ばりを巻く技術）に目を奪われ、食い入るように眺めてはフライを巻いた。もちろん佐藤さんと同じように毛ばりを巻けても、それを使いこなす釣りのテクニック（フライフィッシングには特殊な様々な技術が必要で、それゆえに楽しみの奥が深いのだ）がもっと大事なのだけれど、それでも自分の使う毛ばりには少なくとも自信が持てた。

もう１つの本である『瀬戸際の渓流魚たち』は、厳密には釣りの本ではない。私たち渓流を主なフィールドにしている釣り人にとって、ターゲットである渓流魚（イワナやヤマメ）の生活環境は決して恵まれた状況にはない。もはや天然魚など存在しないのではないだろうか？　一方で漁協による渓流魚の放流事業も盛んで、魚を釣ることには何ら不満はないようにも見える。しかし、そもそも渓流魚を釣る楽しみの根本には、自然の中で、そこに棲むであろうあまりに美しい渓流魚に出会いたい！　という欲求であった筈だ。それは決して安易なことではない。都会から離れて、山道を進み、舗装された道路から、砂利道に変わる場合も多い。そしてそこから渓流に降り、さらに上流へ向かう。それは、美しく大きな渓流魚がきっといるはずだという信念がそうさせている。でも、そこにもう楽園などなくなっているのだ。『瀬戸際の渓流魚たち』はそんな渓流魚の現状を日本全体を俯瞰し、かつ詳細に調査し報告しているのだ。これは釣り人にしかできない、いや佐藤成史さんにしかできない偉業だと思うこの本により、釣り人は魚を自然をより大切にし愛するようになるのだ。

釣りの上手いフィッシャーマンはたくさんいる。生き物が好きで生き物に詳しい学者さんもたくさんいる。自然を愛するナチュラリストもたくさんいる。しかしこれらを高いレベルですべて兼ね備えた人は、佐藤さん以外には、いないだろうと思う。

そんな憧れであった佐藤成史さんが朝日新聞の地元群馬の地方版に連載されていたコラムを出版したいと、ふらい人書房の阪東さんから連絡があり、二つ返事で OK を出した。阪東さんも、海外にも精通した著名なフライフィッシャー。はじめは、写真の腕もプロな佐藤さんの写真を活かしたエッセイ集のデザインの依頼かと思ったのだが、会って話を伺うと私に佐藤さんのエッセイに合った絵を描いて欲しいとのこと。佐藤さんの文章が楽しみだったのでそれを読んでの絵はもちろん描きたいのでこれまた嬉しくお返事をした。3 人で新宿のフレンチレストランでミーティング。その時にはもう基本の編集コンセプトが決まってしまった。よし。あとはイラストレーションを描くのみだ。

佐藤さんの文章は素晴らしい。その内容を汲みながら内容を広げ、かつ包み込むような絵を描きたいと思った。絵の作成と同時にエディトリアルデザインも進めないといけない。私が運営するデザイン事務所のスタッフが私の片腕になってくれた。

釣り人だけでなく、自然や環境問題やアウトドアに興味のある方々に手に取ってもらえたら嬉しいなと思う。そして、いつまでも美しい日本の渓流に美しい渓流魚がいて虫たちがいて動物がいて樹々が繁り、そこに釣り人が降り立ち上流を見上げる子供達が、未来を紡いでいくことを願って。

2020 年 7 月

kammy by 神谷　利男

初出
朝日新聞　群馬地域版
2008年5月21日より 2013年12月20日まで隔週連載された『渓ごよみ』を改題

佐藤成史《さとうせいじ》

1957年、群馬県前橋市に生まれる。生家は海産物問屋。幼少時より魚と親しみ、近所の利根川で魚釣りを習得する。渓流釣りを始めたのは高校１年生のとき。北里大学水産学部在学中はイワナの研究に没頭。卒業後はいくつかの職を経験したのち、フリーランスのライター兼フォトグラファーとして活動する。

著書
『フライフィッシング』
1989 年　立風書房
『ロッキーの川、そして鱒たち』
1994 年　つり人社
『渓魚つりしかの川』
1997 年　立風書房
『瀬戸際の渓魚たち』
1998 年　つり人社
『ライズフィッシング・アンド・フライズ』2003 年　地球丸
『いわな　川と森の生きものたち』
佐藤成史・あさりまゆみ
2013 年　ポトス出版
他多数

神谷利男《かみたにとしお》（kammy）

1964年京都生まれ。
京都市立芸術大学美術学部デザイン学科卒。デザイン会社に12年勤務の後に独立、神谷利男デザインを設立する。
デザイナーの一方で、kammy の名前で、画家、イラストレーターとしても活動。
幼少の頃から釣りや昆虫や動物や自然を愛し親しむ。
特に好きな釣りは渓流のフライフィッシングとトップウォータープラグによるバスフィッシング。
50 歳になった頃、小学校の頃に描いた画家になる夢を思い出し、やり残したことの一つとしてデザインの仕事と並行して、日々絵を描いている。

著書
『ペーパー・フライズ』
2005 年　つり人社

鱒《ます》虫《むし》釣《つり》人《びと》戯《ぎ》画《が》

著者	佐藤成史（文章）
	神谷利男（イラストレーション）
装丁	神谷利男デザイン株式会社
	（神谷利男、坂本成志、發知明日香）
発行日	2020 年 8 月 15 日
発行者	阪東幸成
発行所	ふらい人書房
	東京都町田市三輪緑山 2-25-21
HP	www.flybito.net
e-mail	flybito@me.com
印刷所	株式会社　藤プリント

Printed in Japan
ISBN 978-4-909174-05-5